JN111603

世界はいつでも不安定

国際ニュースの正しい読み方

Yosuke Naito
内藤陽介

ワニブックス

はじめに

　著名なジャーナリストの池上彰氏が、２０２１年1月30日に放送のテレビ朝日系「池上彰のニュース　そうだったのか!!」で、アメリカのトランプ前大統領とバイデン大統領を比較して「バイデン大統領は中国の人権問題に関心を持っているが、トランプ大統領はこれまで（人権問題に）何も言ってこなかった。人権問題に関心がなかった」というような発言をしました。

この発言に対して、トランプ政権下で香港・ウイグル・チベットの各人権法が大統領の署名によって成立し、特に、ウイグル問題に関しては、アメリカ政府として中国政府によるウイグル人へのジェノサイドを認定したという事実を意図的に無視ないしは歪曲するものとして、多くの抗議が寄せられました。

　これについて池上氏は、ボルトン前大統領補佐官の発言などをもとに「トランプ『政権』は人権問題に対して厳しい態度をとっていたが、トランプ氏自身は違った」などと苦しい弁明を行いました。しかし、その不誠実な態度は火に油を注ぐ結果となっています。

「トランプ大統領は人権問題に関心がなかった」という池上氏の発言は、インターネットのニュース検索で簡単に確認できる事実関係のチェックさえ怠った結果のお粗末なものです。そもそも、トランプ氏は宗教保守派の支持で当選したこともあって、信仰の自由の観点から、中国共産党（＝無神論者）によるキリスト教徒をはじめとする宗教弾圧を問題視し、その文脈でイスラム教徒であるウイグル人への人権侵害も問題にしてきたという構造を理解していれば、先の発言はありえません。

　このことは、池上氏ないしはそのスタッフが、トランプ政権の4年間、同政権の性格を全く理解しない（しようとしない）まま、ニュース解説を垂れ流してきたことをはしなくも露呈したものであり、そうした人物が数多（あまた）のテレビ番組に出演し、視聴者をミスリードしてきたことの罪はきわめて重いといえましょう。

　このほかにも、池上氏のニュース解説には首を傾げたくなるようなものが多々あります。なかでも、欧米のスタンダードでは極めて悪質な「反ユダヤ主義」とみなされかねないものについては、拙著『みんな大好き陰謀論』（ビジネス社）でも指摘しましたので、ご興味のある方はご一読ください。

　池上氏のような人物が大物ジャーナリストとして影響力を持ち続けている要因はいくつか考えられますが、そのひとつとして、地上波のテレビ報道では、ある種の〝思い込み〟を前提に議論が組み立てられており、その前提を壊さないことを優先しているという傾向があることは指摘しておいてよいでしょう。

たとえば、先に挙げたトランプ氏の評価についても、不法移民を排除すべきだという彼の主張を、（合法的な手続きを踏んでいる人も含めて）移民そのものを排除すべきと曲解し、攻撃してきた反対派の主張を無批判に受け入れた結果、「トランプ氏は差別主義者だから人権に配慮するはずがない」というような思い込みが池上氏にあったことは想像に難くありません。

また、地上波メディアの報道番組では、速報性という観点から、どうしても、事実の推移を逐一追いかけていかざるを得ない面があり、歴史的・思想的な背景などもじっくりと掘り下げていく余裕を確保しづらいということもあるでしょう。

そこで、本書では、最近の国際ニュースのなかから、特に重要と思われるアメリカ、中国、中東、ロシア、トルコの話題をいくつかピックアップし、その背景についてもじっくり読みこんでいきたいと思います。

新型コロナウイルス禍で世界的に閉塞感が漂うなか、2021年1月6日にはアメリカ・ワシントンDCの連邦議事堂に暴徒が侵入する事件が起き、2月1日にはミャンマーで軍事クーデターが発生するなど、不安定な情勢が続いています。そんな〝世界〟を読み解くためのヒントのひとつとして、ぜひ、本書をご活用ください。

第1章

【アメリカを読む】南北問題で知る、米大統領選と左翼運動

第2章

【中国を読む】香港・ウイグル征服を狙う野望を読み解く

第３章

【中東を読む】日本人のためのイスラエルと湾岸諸国入門

第4章

【ロシア・トルコを読む】リビアからコーカサスにいたる紛争ベルトの重要性

※敬称につきましては、一部省略いたしました。
役職は当時のものです。
※写真にクレジットがないものは、パブリックドメインです。

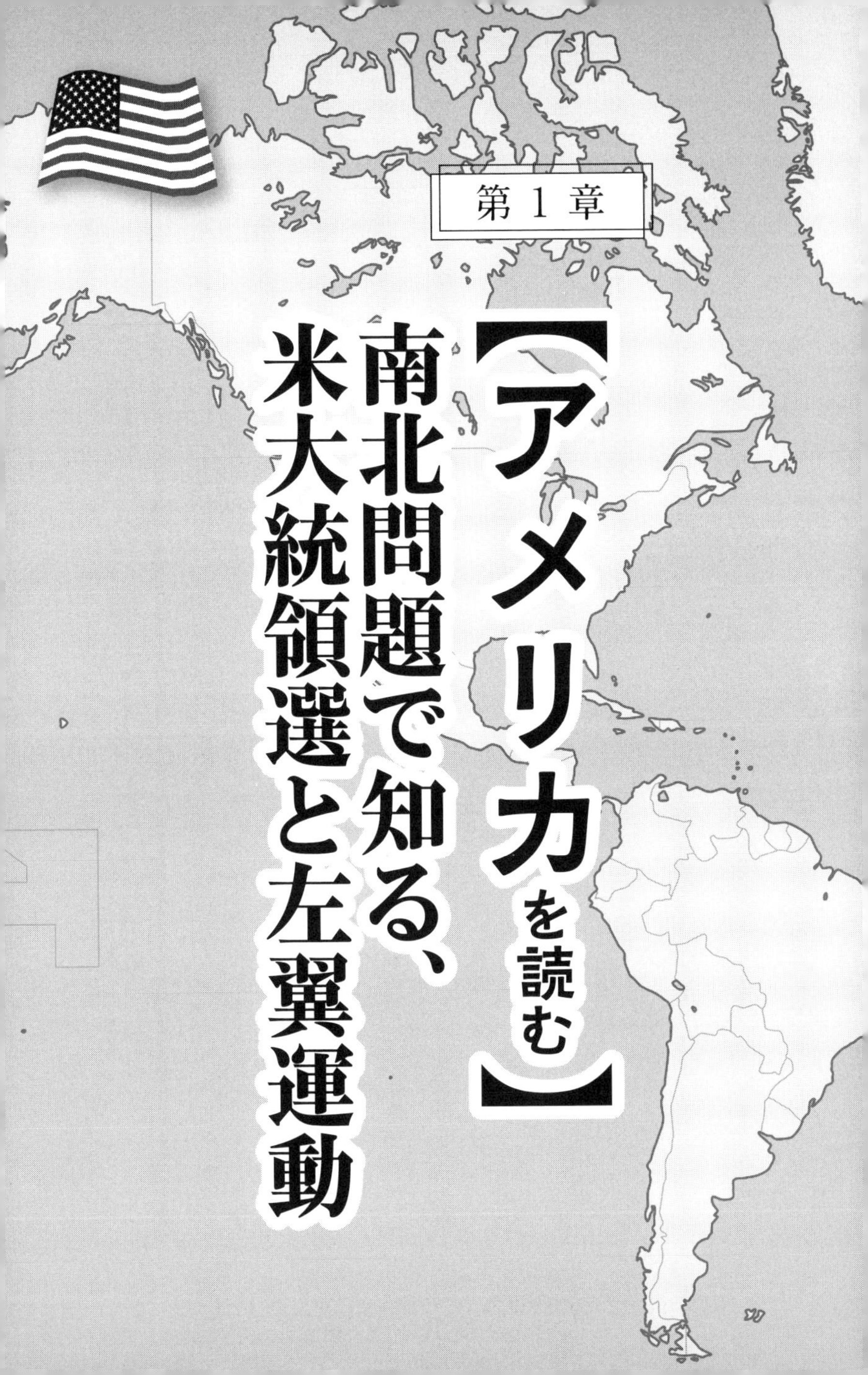

第１章

【アメリカを読む】南北問題で知る、米大統領選と左翼運動

行き過ぎたPCへの反発がトランプ誕生の一因

アメリカのドナルド・トランプ前大統領は非常に毀誉褒貶(きよほうへん)の激しい人物です。トランプは差別主義者で、アメリカ国民の分断を煽ったとんでもない人物だとして、彼を毛嫌いする人も少なくありません。

確かに現在のアメリカが〝価値観〟によって大きく分断されていることは事実でしょう。しかし、それがすべてトランプのせいだというのは、さすがに無理があります。

2016年の大統領選挙でトランプが勝利を収めた要因としてはさまざまなものが挙げられますが、そのひとつとして、トランプは、あまりにも過激で先鋭化したリベラル派の主張に嫌気がさしている善男善女の不満を上手く吸収したという面があったことは否定できません。

主として1980年代以降、アメリカ社会では、いわゆるポリティカル・コレクトネス（PC）が猖獗(しょうけつ)を極め、「〝差別〟を是正する」という大義名分のもと、リベラル勢力による激しい〝言葉狩り〟が横行してきました。たとえば、議長を「チェアマン」と呼ぶのは男女差別なので「チェアパーソン」と呼ばねばならない、「メリー・クリスマス」は非キリスト教徒に配慮して「ハッピー・ホリデー」と言い換えなければならない、などはその典型です。

もちろん、明らかに悪意を持って差別語を使うことは厳に慎むべきでしょうが、このようにあまりにも極端で先鋭化したリベラルの主張に対して、常識的な感覚の人々が素朴な疑問を持つのは当然のことです。

しかし、ながらくアメリカの言論空間では、〝フツーの人たち〟が自分たちの〝常識〟に照らして、ポリティカル・コレクトネスの行き過ぎに疑問を呈することさえ、「差別」として糾弾されかねないという異常な状況にありました。そして、いったん「差別主義者」のレッテルを貼られてしまったら最後、社会的に大きなダメージを受けてしまう。そんな現状に対する不満が、アメリカ社会には渦巻いていたわけです。

たとえばトランプに対しては、2016年の大統領選挙当時から「移民排斥の差別論者」という非難がしきりに浴びせられましたが、トランプの移民政策の主張を冷静に検証してみると、彼が「すべての移民を排斥しろ」と主張したことは一度もありません。あくまでも、「不法移民はいけない」と主張しているだけです。

移民問題についてのトランプの主張をざっくり要約すると、こんな感じになります。

そもそも、移民を受け入れるには、犯罪者やテロリストが紛れ込まないように、きちんとチェックする体制がなければならないし、仮に真面目な働き者であっても、不法な手段で入国するのは、法律に則って移民しようとする人々に対してアンフェアである。不法移民をコントロールできないということは国境を守れないということであり、自国の国境を守れないということは国家としての最低限の要件を満たしていないということだ。

また、不法移民を黙認し続けてきた結果、（不当・不法で）安価な労働力が流入し、一般のアメリカ市民の賃金を低下させ、失業率を上昇させた。だから、アメリカ市民のために、きちんと機能する移民制度が必要なのだ——。


実際、メキシコを中心としたラテン・アメリカからの不法移民・不法滞在者は、現在、アメリカ国内に3000万人以上いると推定されています。それに伴い、犯罪者やテロリストの数も急増して刑務所は常に満杯状態でした。

不法滞在者であっても、「人道上の理由」から、病院で無償の診療を受けることができるほか、その子供は教育を受ける権利が与えられ、自治体によっては自動車の運転免許を取得することができます。さらに、彼らの社会保障に対しては、莫大な額の税金が投入されています。

こうした実情を目の当たりにすれば、真面目に働いて真面目に税金を納めている善男善女が不満を持つのも当然でしょう。しかし、アメリカ国内でそうした不満を口にすると、「差別主義者」のレッテルを貼られるのが実情なのです。

経済界も、安価な労働力としての不法移民・不法滞在者を重宝しているので、実際には、不法移民の問題については見て見ぬふりをし続けています。

政治家の多くも票田を失うことを恐れて、この問題をタブー視してきました。

２０１６年の大統領選挙でトランプと戦ったヒラリー・クリントンは、そうした既存の体制に乗っかった「エスタブリッシュメント」の象徴ともいうべき人物でした。選挙期間中には「シリアからの難民の受け入れを現行の年間１万人から６万５０００人に増やすべきだ」と主張していましたが、個々の難民の入国の適格性を審査する方法については一言も触れていません。

こうした背景があるので、リベラル色の強い大手メディアや「知識人」がトランプの移民政策を「人種差別」と糾弾すればするほど、現実の社会のなかで額に汗して働いている市民たちの反発が鬱積（うっせき）し、２０１６年の大統領選挙ではトランプの勝利につながる構図がつくられたわけです。

ドナルド・トランプ

ちなみに、トランプは、２０１６年の選挙戦を通じて、極端なポリティカル・コレクトネスの愚行を非難し、「アメリカが再び『メリー・クリスマス』と言える国に」と訴え続けてきました。そして、当選後の12月13日には、ウィスコンシン州での遊説で、「18カ月前、私はウィスコンシンの聴衆にこう言った。いつかここに戻って来たときに、我々は再び『メリー・クリスマス』と口にするのだと。……だからみんな、メリー・クリスマス！」と聴衆に呼びかけ、喝采を浴びています。

そもそもアメリカ合衆国という国は、1620年、イングランドで宗教上の迫害を受けてきた人々がメイフラワー号に乗ってプリマスに移住してきたのを皮切りに、その後、プロテスタントの各宗派が各地にそれぞれのコミュニティ、すなわちスティツ（states＝州）をつくり、それが連合してできあがったという〝建国の物語〟があります。

そこから、かつては「アメリカはプロテスタントの白人がみずからの信仰を守るために建国した国なので、WASP（＝White：白人、Anglo-Saxon：アングロ・サクソン、Protestant：プロテスタント）が国家の指導層を独占するのは当然」という考え方が常識とされていました。

もちろん「WASPに非ずんば人に非ず」とばかりに、有色人種やユダヤ教やイスラム、カトリック、仏教などを迫害するといった行為は、非難されるべきです。

しかし、他人の信仰に口を出すわけでもないのに、「メリー・クリスマス」と口にすることさえタブー視される社会というのは、やはり異常といえるでしょう。

アンティ・ファシストはもともと共産主義系の運動

さらに、そうした〝異常〟を強引に推し進めて〝スタンダード〟にしていこうという、リベラル過激派の暴走が、事態をさらに深刻なものにしています。

２０２０年5月25日、ミネソタ州ミネアポリスで、偽ドル札を使って詐欺容疑で拘束されたジョージ・フロイドという黒人男性が、拘束時に警官に膝で首を押さえつけられたことが原因で死亡する事件が発生しました。

確かに容疑者を死に至らしめたという点で、警察の側にも行き過ぎがあったことは事実でしょう。しかし、亡くなった男性は、何もしていないのにいきなり警察官に襲われたわけではなく、あくまでも〝詐欺事件の容疑者〟であったという点を見逃してはなりません。

この事件をめぐって、警察の行き過ぎに対して起きた抗議行動は、〝ＢＬＭ（Black Lives Matter＝直訳すると「黒人の命が大切だ」という意味。もともとは、２０１２年2月26日、フロリダ州サンフォードで、当時17歳だった黒人高校生のトレイボン・マーティンが、ヒスパニック系混血の自警団員ジョージ・ジマーマンに「正当防衛」と称して射殺された事件に抗議する運動のなかで生まれた）〟のスローガンと共に全米に拡大。5月31日には、トランプ大統領（当時。以下同）も、反ファシズムを標榜する極左過激派の「アンティファ（ANTIFA＝

"anti-fascist"の略称)」が平和的なデモを乗っ取り暴力化させているとして、アンティファを「テロ組織」に指定する意向を示しました(ただし、本稿執筆の2021年2月時点ではテロ指定は実現していません)。

ここで、「アンティファ」の歴史について、簡単にまとめておきましょう。

ベニート・ムッソリーニ

もともと、「アンティ・ファシスト(ファシズム)」は、イタリアのベニート・ムッソリーニ体制に対する反対運動を意味していましたが、第二次世界大戦の時代を通じて、イタリアのファシスト党やドイツのナチスなど、主として枢軸側の独裁国家への反政府活動を指す総称になりました。

演説するムッソリーニ

この運動が広がった理由のひとつには、1935年にコミンテルン(Comintern = Communist International〈共産主義インターナショナル〉の略称。世界各国の共産党を指導する国際組織)の第7回大会で、当時台頭してきたファシズムに対抗するため、共産党単独ではなく、世界中の政党・団体から幅広く反ファシズム勢力を集めて共同戦線を組む方針が打ち出されたことがあります。この反ファシズムの共同戦線のことを「人民戦線」といい、当時共産主義者たちによって「ファシズムに対する人民戦線」という構図がつくられました。

ようするに「アンティ・ファシスト」というのはもともと共産主義系の運動だったわけです。

ちなみに、コミンテルン第7回大会では、日本、ドイツ、ポーランドを〝打倒すべき敵＝ファシスト〟と認定しています（ソ連にとっては大した脅威とはみられていなかったファシストの〝本家〟であるイタリアは除外）。

ファシズムを「政府や議会よりも政権党の意思決定が優先される一党独裁体制」と定義するなら、旧ソ連をはじめとする共産主義諸国も立派な「ファシスト国家」になります。

ということは、〝反共〟の立場から彼らに抵抗した人々も「反ファシスト」としなければ筋が通りません。

ところが、現実には、最初に「反ファシスト」を名乗ったのが左翼側だったこともあって、「反ファシスト」の看板は、労働組合の活動家、社会主義者、無政府主義者、共産主義者などの左派勢力の専売特許のようなものになっていきました。

つまりは、その流れが現在まで続いているというわけです。

反ファシストから反核・環境保護へ

さて、第二次世界大戦を通じて、欧州と東アジアでは、主要な「ファシスト（と認定された）政権」が崩壊しました。肝心の〝敵〟がいなくなってしまうと、せっかくの「反ファシスト」のスローガンも意味を持たなくなってしまいます。そのため、戦後の国際左翼運動は〝敵〟を変え、冷戦と連動するようになっていきました。

冷戦と結びついたということは、アメリカ（をはじめとする西側諸国）が彼らの〝新しい敵〟になったということです。

しかし、ただ闇雲に「反米」を唱えたところで、雲をつかむような話になってしまいます。そこで、ひとつの大きな柱になったのが〝反核〟です。

左翼勢力にとって都合がいいことに、第二次世界大戦が終わった時点で原爆を持っていたのはアメリカだけでした。こうして〝反米と結びついた反核運動〟が戦後の国際左翼運動のひとつの柱となって盛り上がっていきます。

その代表的な例が平和擁護世界大会（のちに世界平和評議会）などによる「反核」運動です。平和擁護世界大会は、「国際平和の実現と擁護を目的とする国際組織」というのが建前ですが、実際には「冷戦下で東側諸国が西側にプロパガンダ工作を展開するための組織」という色彩がきわめて濃厚でした。

そのため、１９４９年４月にパリで第１回大会が開かれた際には、フランス政府が東側諸国代表の入国を拒否し、チェコスロヴァキアのプラハでも会議が同時に行われています。

１９５０年の第2回大会に関しても、当初は英国のシェフィールドで行われる予定でしたが、英国政府により入国拒否となった関係者が多かったため、実際には、11月16日から22日の日程で、ポーランドのワルシャワで開催されました。

ちなみに、この間の１９５０年３月に開催された平和擁護世界大会第３回常任委員会では、

①原子兵器の無条件使用禁止
②原子兵器禁止のための厳格な国際管理の実現
③最初に原子兵器を使用した政府（＝アメリカ）を人類に対する犯罪者とみなす

とする「ストックホルム・アピール」が採択され、全世界に署名が呼びかけられています。高校の教科書などにも載っている有名なアピール（訴え）ですが、これも結局は「平和」や「反核」を前面に出しただけの「反米」運動に他なりません。

「西の核はダメ、東の核はオッケー」という奇妙な理屈

1950年11月にワルシャワで開催された第2回平和擁護世界大会には、81カ国から2065人が参加しました。

この大会では、同年6月に始まった朝鮮戦争で国連軍の進攻により北朝鮮が崩壊寸前に追い込まれるという状況を受けて、「我々は朝鮮でいま行われている戦争が朝鮮人民に計り知れない不幸をもたらしているのみならず、新しい世界戦争に発展する脅威をはらんでいる点を重視し、この戦争の終結、外国軍隊の朝鮮撤退、朝鮮人民の代表が参加しての南北朝鮮の国内紛争の平和的解決を主張する」というアピールが採択されました。

そして、日本と西ドイツの〝再軍備〟を非難し（ただし、組織の性格上、東ドイツやポーランドの〝再軍備〟は全く問題視されていません）、アメリカに対してのみ核兵器の使用禁止が呼びかけられました。

その後も、さまざまな組織による反核運動が展開されましたが、その多くは、アメリカや西側の核を非難するものの、中ソの核に対しては「自衛のために最小限必要なもの」などと称してほとんど批判をしないという奇妙なものでした。やはりその背景には、東側諸国が国際世論を誘導するためのプロパガンダ工作として、この手の反核運動を利用していた側面が少なから

ずあったわけです。それを踏まえると、いまだに反核運動が中国や北朝鮮の核をあまり批判しないのは、ある意味〝正統〟な流れを汲んでいるともいえます。

もちろん日本でも、1970年代後半から80年代にかけて、「反核」という言葉が左派系市民運動の世界でクローズアップされていきました。

その仕掛け役として重要な役割を果たしたのが、「よど号」グループ（1970年に世界同時革命を目指して日航機「よど号」をハイジャックし、北朝鮮に亡命した過激派共産主義者）のメンバーとその支援者たちです。当時彼らの背後には北朝鮮の朝鮮労働党がいたことが確認されています。

1980年代には「ダイ・イン」と称して地面に寝転び、〝死んだふり〟をする奇怪なパフォーマンスが流行ったことをご記憶の読者もあるかもしれませんが、あのパフォーマンスも、実はウィーンを工作の拠点としていた〝よど号〟グループの関係者が、日本に持ち込んだものと言われています。彼らは、1970年に北朝鮮入りしてからずっと北朝鮮にいたわけではなく、しばしばヨーロッパなどに出張し、日本人拉致などのさまざまな工作活動に従事してきました。

ちなみに、北朝鮮が日本の反核運動に積極的にコミットしたのは、東側諸国の一員としてアメリカの核戦略に対抗するという大義名分とあわせて、〝反核〟を媒介に、日本での北朝鮮シンパを拡大していこうという狙いがあったと言われています。当時の反核運動の機関誌やビラなどに、北朝鮮の政治用語としてよく使われる「自主」とか「主体的」といった単語がしばしば用いられているのは、決して偶然ではないのです。

反米運動から環境保護へ

ところで、東西冷戦の時代に〝反核〟とともに反米運動を盛り上げていたのが1960年代後半に国際的な広がりを見せた〝ベトナム反戦運動〟です。

ベトナム反戦運動が世界中で盛り上がったことは東側にとっても非常に都合が良かったのですが、一方でベトナム戦争自体が終わってしまうと、それまで反戦運動を煽ってきた左翼活動家たちが行き場を失ってしまうという側面もありました。世界の左翼は〝レイオフ(一時解雇)〟が基本ですから、〝終身雇用〟の日本の左翼とちがって〝仕事〟を見つけるのが大変なわけですね。

そんな彼らが次に目をつけたのが〝環境問題〟です。

たとえば、世界各国には「緑の党」ないしはそれに類する名前の政党があり、国によっては国会議員も輩出しています。ドイツ南部バーデン・ビュルテンベルク州では、州の首相も緑の党の党員です。

ドイツの「緑の党」といえば、現在では左派政党のなかでもかなりリベラル色の強い、ほぼ極左といってよいイメージがあります。しかし、もともとは保守系の市民たちが「祖国ドイツの美しい自然を子々孫々に伝えていこう」という趣旨で始めた政党であり、長らく〝マイナーな保守系諸派〟の域を出ませんでした。

ところが、1960年代に学生運動を展開してきた左翼過激派集団が、ベトナム戦争の終結後、「反戦」に代わって「環境」を持ち出してきたことから、緑の党の内部は、彼らを受け入れて党勢を拡大しようと考えるグループと、あくまでも保守団体としての矜持を守り、左翼勢力には与しないというグループが対立。結局、1979年11月4日にオッフェンバッハで行われた党大会で、左翼過激派の参加が認められると、以後、大量の左派系活動家が相次いで入党し、左派が党運営を牛耳るようになります。

一方、こうした状況に不満を持った古参の保守系党員は、1982年にこぞって脱退し、新たに「ドイツ独立環境党」を創設しました。その結果、緑の党は、現在の我々のイメージする左派政党へと変質していったわけです。

ドイツに限らず、各国の緑の党は「反原発」と「自然エネルギーの推進」という主張を掲げています。

その主張自体は、「環境保護」という結党の理念からして、（賛否は別として）理解できないこともないのですが、それとあわせて彼らが掲げている「反核」「反軍国主義」「反NATO」「平和主義」「移民規制反対」「反中絶」「マリファナ使用の自由化」「同性愛者の権利向上」などの主張は、環境問題とは全く無関係の〝左派・リベラル勢力の主張〟にすぎません。

これでは、真の意味での環境保護を考える保守系の人たちが党を出ていくのは当然です。「どこが〝環境〟政党なんだ?」と素朴な疑問を感じますね。

「反ファシズム」の復活とパンクス

こうした左翼系の運動の流れのなかで、「反ファシズム」という用語は、1970年代から1980年代にかけての移民の増大を受けて、新たな人種差別ないしは白人至上主義的な風潮が出てきたことへの〝カウンター(対抗勢力)〟として再び脚光を浴びるようになります。

確かに「レイシズム」は「ファシズム」の〝一要素〟ではあるかもしれませんが、両者は同義語ではないはずです。しかし、アメリカ社会にとっての〝絶対悪〟であるヒトラーとナチス・ドイツのホロコーストのイメージが強烈であるがゆえに、「反差別」運動を盛り上げようとしていた人たちも「反ファシズム」という言葉を利用することで社会的認知度のアップをはかったのかもしれません。

特に、1989年にベルリンの壁が崩壊して、東西冷戦が終結すると、ドイツをはじめヨーロッパではネオナチなどの〝極右〟勢力が勃興（ぼっこう）しますが、これと連動して、そのカウンターとしての〝アンティファ〟も勢力を拡大していくことになります。いつの時代も、どこの地域でも、たいてい〝極右〟と〝極左〟というのはいつも〝ニコイチ〟ですね。

一方、アメリカにもナチズムを信奉する国家社会主義団体やネオナチ勢力がいないわけではないのですが、ヨーロッパに比べると、人数・影響力ともに社会的にはほぼ無視してよいレベルです。むしろ、アメリカの反差別運動は、いわゆる〝パンク・ムーブメント〟と結びついて社会的に浮上してきたという経緯があります。

パンクは、もともとは「不良、青二才、チンピラ、役立たず」などを意味する俗語で、1970年代半ば頃、アメリカとイギリスでほぼ同時に始まりました。サブカルチャーの重要な一分野であるパンクロックが登場したのは、1974年から1976年にかけてのことと言われています。

芸術史の流れから言うと、パンク・ムーブメントは、ダダイズム（第一次世界大戦中から戦後にかけて欧米で興った芸術運動。既成の権威・道徳・芸術などの価値体系を否定し、極端な反理性・反道徳・反合理主義を唱えた）を源流とする20世紀の前衛芸術運動の流れを汲むものです。特に前衛芸術家や左派知識人が社会の構造変革を目指して1957年に結成した国際状況主義連盟（シチュアシオニスト・インターナショナル：Situationist International。１９７２年解散）の影響が色濃くみられると言われています。

その主張の根底には「個人の自由」と「反体制・反権威」があるため、政治的には左派・右派のどちらもありうるのですが、特にアメリカのパンクスは左翼的な傾向が強くなりました。「反差別」を掲げてきた彼らはやがて、「人種差別との戦い」を標榜する「反差別主義行動（ＡＲＡ：Anti-Racism Action）」という緩やかなネットワークを構成するようになります。

アメリカにもクー・クラックス・クラン（ＫＫＫ）のような白人至上主義団体がいますから、ＡＲＡはそれに対する〝カウンター〟として暴れ出しました。東西冷戦後の１９９０年代に入ると、ＡＲＡは「彼らが行くところに我々も行く」と称して（まさにニコイチ！）、白人至上主義団体への妨害行動を主な活動とするようになり、次第に過激化していきます。

彼らは黒いマスクや服装などに身を包み、いわゆるポリティカル・コレクトネスの観点から「差別」との批判を受けると反論しづらい米国社会の風潮を悪用し、攻撃対象を恣意的に「人種差別」、「極右」、「ファシズム」と認定。そのうえで、「〝敵（＝ファシズム、人種差別など）〟に対する暴力は正当化されうる」などとして、国際会合の会場周辺などで警官隊を襲撃したり、車両や商店を焼き打ちしたりするなどの乱暴狼藉を繰り返してきました。

ＡＲＡは「行動（Action）」という名前の通り、全米規模での統一的な組織があるわけではなく、複数のグループが緩やかに結合して暴力集団を構成しているうえ、明確なリーダーの存在も確認されていません。今日のいわゆる「アンティファ」は、その発展形として規模が拡大したものというのが一般的な理解です。

南部人にとっての南北戦争

こうした背景があったところへ、バラク・オバマ政権時代の２０１５年、南北戦争終結150年というタイミングで、南北戦争の歴史的な評価、特に、南部の象徴ともいうべき「南軍の英雄」ロバート・エドワード・リー将軍をめぐるイデオロギー対立が尖鋭化します。

リー将軍がどういう人物かはのちほど詳しく紹介するとして、まずはアメリカの「南部人」の伝統的な歴史認識について確認しておきたいと思います。リー将軍については、とりあえず、「南北戦争で活躍した将軍で、今なお南部を中心にアメリカ中の人々から尊敬されている歴史上の偉人」とだけ認識しておいてください。

さて、南北戦争というと、（実際にはそんなに単純なものではないのですが）奴隷制の賛否をめぐってアメリカが南北に分かれて戦った戦争というイメージを持っている人が多いと思い

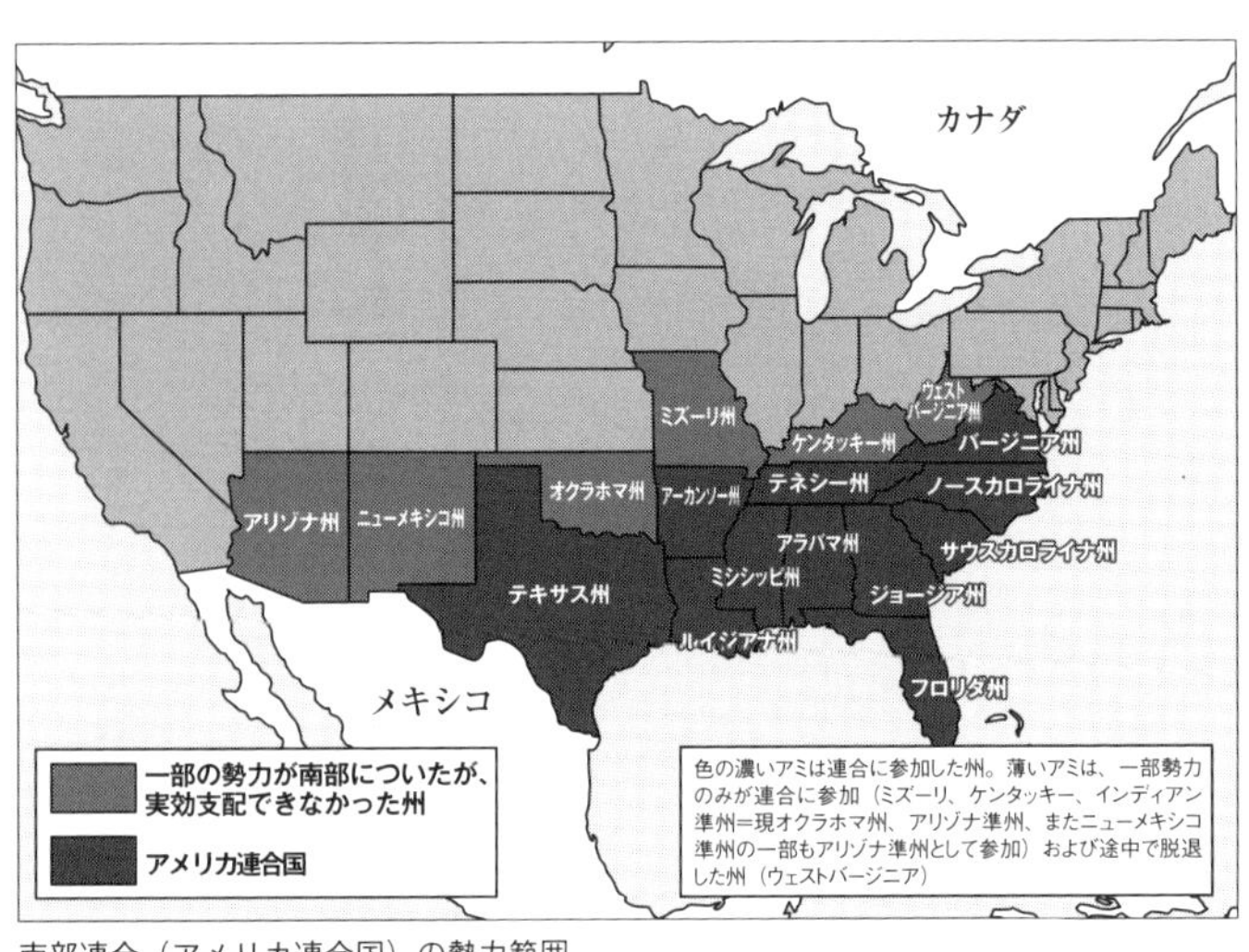

南部連合（アメリカ連合国）の勢力範囲

ます。アメリカ国内でもそう考える人が多数派ですが、「南部人」の認識は違います。

前述の通り、もともとアメリカという国は基本的にプロテスタント諸派が宗派ごとにステイツをつくり、その連合体として発足しました。そうした経緯から、連邦政府の統制に対して、州の独自性・自律性をどれだけ認めるべきか、ということが常に問題になってきたわけです。

この前提に立つと、南部連合軍の南北戦争観は以下のようにまとめることができます。

自分たちの戦争目的は、奴隷制そのものを維持することにあったわけじゃない。連邦（＝北部）が強制的に外から介入してきて、奴隷制というシステムのもとに成り立っている南部の社会や経済を破壊しようとしたので、州としての自由と権利を守ろうとしたのだ。つまり、〝南部の独自性〟を守るために戦ったのが南北戦争である。だから、結果的に敗戦に終わったとはいえ、南部連合の旗や、南軍の英雄であるリー将軍の銅像は、〝南部の歴史や文化の象徴〟であり、自分たちの誇りなのだ。

実際、南北戦争の敗戦後、南部諸州は連邦政府によって徹底的に武装解除され、屈辱的な扱いを受けました。

第二次世界大戦後、日本はＧＨＱにより物心両面で徹底的に武装解除され、東京裁判史観を押し付けられたと批判的に語る保守派の人は多いのですが、そうは言ってもやはり、日本とアメリカは全く別の国です。事の是非はともかく、戦勝国が敗戦国にいろいろと押し付けてくるのは、理屈として理解できないことではありません。

しかし、南北戦争に負けたとはいえ、南部諸州の人々は北部と同じ〝アメリカ国民〟です。同じアメリカ国民でありながら、露骨に〝二級国民扱い〟されるというのは、かなり精神的なダメージが大きいと思います。

しかも、南北戦争のあとは、猛烈な戦後不況の時代が長らく続いていました。それによって南部は経済的にも大きなダメージを受けることになります。

もともと、アメリカでは、建国初期の１７９２年以来、金と銀の自由鋳造を認める複本位の通貨制度がとられていました。

第一次世界大戦以前の世界では、法定通貨は金や銀などの貴金属とすべきであり、紙幣も金・銀との交換が保証されている兌換券とすべきというのが常識で、政府の運営する鋳造所に貴金属が持ち込まれた場合には、一定の重さごとに無制限に法定通貨に鋳造して引き渡す（＝自由鋳造）ことになっていました。この法定通貨の原料を金としたのが金本位制で、銀としたのが銀本位制、金と銀を併用したのが金銀複本位制です。

１８６１年に南北戦争が勃発すると、戦費調達の必要から、アメリカ（北部）の兌換制度は一時停止されました。しかし、戦後の復興が進むと国民の間からは兌換制度の復活を求める声が高まったため、１８７３年、連邦議会は「１８７３年鋳造法」を可決し、金貨の自由鋳造を再開します。ただし、同法には銀貨の自由鋳造についての記述はなく、アメリカの通貨制度は実質的に金本位制に移行しました。

実は１８７０年以前に純然たる金本位制をとっていたのは、英連邦とポルトガルだけでしたが、１８７１年、普仏戦争に勝利を収めて国家統合を果たした新生ドイツ帝国がフランスからの賠償金を金に換え、これを基にゴールド・マルクを法定通貨とする金本位制に移行すると、欧米諸国はこぞって金本位制へと移行していきます。

アメリカの１８７３年鋳造法はこの流れに乗り遅れまいとするものでしたが、欧米各国が雪崩を打って金本位制に移行した結果、全世界規模で金の需要が激増し、欧米諸国は深刻なデフレに落ち込んでしまいます。

くどいようですが、金本位制は一定の重さの金を1ドルなり1ポンドなりと定めるものですから、金の需要が高まって金の価値が上昇すれば、それに伴って、一定の重さの金と等価とされる通貨の価値も上昇します。その結果、通貨価値の上昇と反比例して、その他の物価は下落し、深刻なデフレ不況が到来してしまったのです。

実際、1875年から1896年までの約20年間、アメリカの物価は年平均で1・7%下落しましたが、なかでも、農産物の卸売価格の下落は年平均3%にも及びました。

物価の下落は売り上げの減少として生産者にはねかえってきます。

しかし、借り入れた事業資金の額はデフレの進行によって減免されるわけではないので、物価の下落(=貨幣価値の上昇)によって、実質的に借金は膨らんでいくわけです。

このことは債権者である銀行を豊かにする反面、社会全体の景気を悪化させました。失業者が街に溢れ、事業資金の返済に窮した農場主の首が回らなくなり、農村は疲弊してしまいます。

しかし、当時のグローバー・クリーブランド民主党政権は、「金本位制こそが先進国の証である」との思い込みから、金本位制の維持に固執し、事態を悪化させていきました。

金本位制を維持したまま、通貨の供給量を増やそうとすれば、とるべき選択肢はただひとつ、

グロバー・クリーブランド

政府による金の保有量を増やすしかありません。

そのため、1896年2月、クリーブランドはJ・P・モルガンとイギリスのロスチャイルドに支援を求め、3億5000万オンスの金塊を調達しましたが、その見返りとして6500万ドル相当の国債をモルガンに差し出さざるをえませんでした。

この政策は、「デフレで苦しむ農民や中小企業を横目に、モルガンやロスチャイルドが暴利をむさぼっている」という構図で国民に理解され、特にダメージの大きかった南部の怒りも爆発寸前の状態になりました。

こうして1896年の大統領選挙では、金銀複本位制の是非が重要な争点のひとつとなりましたが、皮肉なことに、選挙と前後して、アラスカやオーストラリア、南アフリカでは新たな金鉱が発見されます。さらに、シアン処理法という画期的な金の抽出方法が実用化されて金の生産量が飛躍的に向上すると、デフレの原因となっていた金不足が解消され、アメリカ経済も息を吹き返します。

その結果、南部の経済にも長年の停滞からようやく脱出の兆しが見え始め、19世紀末から20世紀初めにかけて、南部の人々は自分たちの〝誇り〟を取り戻すため、「南部の英雄」リー将軍の像を建立するなどの行動を起こしていくわけです。

公民権運動の副作用として起こった〝権利のばら撒き〟

こうして、経済的にも精神的にも徐々に復活してきた南部では、反北部、特に〝東海岸のエスタブリッシュメント〟に対する反感が沈殿したまま解消されずにくすぶり続けます。

一方、この南部人のルサンチマンと複雑に絡み合ってきたのが黒人差別の問題です。1863年の奴隷解放宣言のあとも、実際のところ黒人差別は解消されず、1870年代以降、いわゆるジム・クロウ法によって、交通機関やレストラン、学校などで白人と黒人を分離する人種分離政策が進められ、黒人の居住地域も制限されていました。

そのため、全米黒人地位向上協会はこうした差別の撤廃を求めて活動し、第二次世界大戦では多数の黒人が〝志願〟して米兵として戦い、犠牲になっています。それにもかかわらず、南部では黒人に対する差別は改められませんでした。

こうした状況のなか、1955年12月、南部のアラバマ州モンゴメリーで、バスで白人に席を譲らなかった黒人女性のローザ・パークスが州法違反で逮捕されるという事件が起きます。ここでマーティン・ルーサー・キングJr牧師（以下、キング牧師）らが抗議してバス・ボイコッ

マーティン・ルーサー・キング Jr

ト運動を展開。翌1956年に連邦最高裁がバス車内での人種分離を違憲とする判決を下すと、これを機に、黒人をはじめとする有色人種がアメリカ市民（公民）として法律上の平等な地位を求める運動は全米に拡大していきました。

いわゆる「公民権運動」です。

さて、こうして公民権運動が盛り上がると、〝南部の人種差別〟は国内のみならず国際的にも激しく非難されるようになります。

その結果、黒人をはじめとするマイノリティの権利もきちんと保証し、今までの差別の蓄積で彼らが受けてきた不利益を解消していこうという動き、すなわちマイノリティ優遇措置としての〝アファーマティヴ・アクション（積極的差別是正措置。たとえば試験、就職、昇進などでマイノリティ用の特別枠を設けるなどの優遇措置）〟が導入されていくのです。

第三者として言わせてもらえば、客観的に人種差別とみなされるような制度や法律はもちろん解消すべきだと思います。また、差別を受け続けてきたマイノリティに対する救済措置もある程度必要でしょう。

しかし、北部に対して一族代々怨念を背負って生きてきた南部人（少なくとも一部の南部人）からすれば、差別解消まではやむをえないとしても、アファーマティヴ・アクションは明らかな逆差別です。

同じ程度の成績、能力、勤務態度であれば、白人男性よりも黒人女性を優遇する、さらには、多少、能力が劣っていても人種や性別ごとに割り当てられた枠があるので、黒人女性の採用が優遇され、白人男性は著しく不利な状況のもとで厳しい競争にさらされることになる、というのがアファーマティヴ・アクションの実態だからです。

その結果として、社会的に不遇をかこつことになった白人男性が、自分たちの権利が剥奪されたうえに、それを黒人たちにばら撒くのはけしからんと憤慨するのは無理からぬことでしょう。

しかし、そうした心情を公の場で堂々と開陳することは、もはや許されない時代（「差別主義者」とみなされて叩かれる）になっています。その結果、ますます南部人のルサンチマンが鬱積するというスパイラルに陥っていくのです。

そんな南部人にとって、たとえばリー将軍や南部連合の旗は〝南部の誇り〟を象徴するシンボルであり、精神の平衡を保つためのひとつの手段になっているという面は否定できません。

奴隷制度に反対していた「南部の英雄」

ここで改めて、先ほどから名前が出てきている「南部の英雄」リー将軍について紹介しておきましょう。

ロバート・リー将軍は、1807年、ヴァージニア州ウェストモアランド郡のストラットフォードで生まれました。父親のヘンリーはアメリカ独立戦争の英雄です。

1825年にニューヨーク州の陸軍士官学校に入学し、4年後に次席の成績で卒業。1846年から1848年にかけて、アメリカとメキシコとの国境を画定した米墨（べいぼく）戦争に従軍して武勲を立て、1852年には母校・陸軍士官学校の校長に就任しました。その後、3年間の校長生活を経て、1855年に中佐に昇格。南北戦争の直前には大佐になっています。

1861年、南北戦争が勃発すると、リンカーン大統領は、陸軍総司令官ウィンフィールド・スコットの推薦で、リーにアメリカ合衆国陸軍（北軍）の司令官就任を要請しました。

しかし、リーは奴隷制には反対していたものの、ヴァージニアへの郷土愛断ちがたく、1861年、南北戦争の発端とされる「サムター要塞の戦い」のあと、連邦軍を辞職して南軍に参加。その総司令官に就任します。

もともと、南北戦争では、南北の戦力差は非常に大きく、各地の戦線で北軍は南軍を圧倒していましたが、リーだけは天才的な軍事的才能を発揮して、孤軍奮闘。マクレラン、ポープ、バーンサイド、フッカー、グラントといった北軍の将軍たちに苦杯をなめ続けさせました。

特に１８６３年の「チャンセラーズビルの戦い」では、敵の半分ほどしかいない兵力を二手に分けて、一軍を迂回させて敵の背後を突いて北軍を撃破。１８６４年の「ウィルダーネスの戦い」では猛攻をかけてグラント（ユリシーズ・シンプソン・グラント。のちの第18代アメリカ大統領）に大損害を与えています。

しかし、最後の大決戦となる１８６３年の「ゲティスバーグ会戦」で、リーは完敗を喫します。以後、南軍は追い詰められていくのです。

ロバート・エドワード・リー

そして、１８６５年４月３日のリッチモンドの陥落後、同月９日、リーはヴァージニア州アポマトックスで北軍に捕捉され、北軍のグラント総司令官に降伏しました。ちなみに、ゲティスバーグ会戦のあと、リーは「これはすべて私の責任だ」と語り、敗戦に関して、部下たちの責任を一切問いませんでした。

リー将軍の人物像について端的にまとめておくと、軍人として非常に優秀で、心から郷土を愛し、そのためにはすべてを失ってもかまわないと腹をくくっている。そして、圧倒的に不利な状況でもひとり気を吐いて勝ち続け、負けたときにも責任は全部自分で引き受け、部下のせいにはしない――まさに、アメリカ人でなくても、軍人としての理想を一身に体現した人物です。今もなお多くの人々から尊敬を集めるのも十分にうなずけるキャラクターと言えるでしょう。

また、前述の通り、リー本人は奴隷制度には反対していました。南北戦争の開戦直前には「南部にいる奴隷すべてを私の所有にできたらいいのに。そうすれば戦争を避けるために私は彼らをすべて自由人として解放するのだが……」と発言しているほどです。だから、彼の人物像を本当に理解していれば、少なくとも「差別主義者」というレッテルを貼ることなんて、絶対にできません。

サウスカロライナ事件とシャーロッツヴィル事件

南北戦争終結150周年の2015年に話を戻しましょう。

これまでお話してきたようなさまざまな要素、つまり、南部人の鬱屈した感情や、そこから派生した一部の過激なレイシズム、さらにはそれに対するカウンターとしての反差別運動と、ポリティカル・コレクトネスを笠に着た彼らの暴走などが複雑に絡み合った結果、2015年

6月17日に深刻な事件が起きます。

南北戦争の終戦150周年記念イベントの数日後にあたるこの日、21歳の白人の若者がサウスカロライナ州の黒人教会で信者9人を殺害したうえ、あろうことか南部連合旗の前で記念写真を撮って、それをSNS上に公開したのです（チャールストン教会銃撃事件）。

この件に関しては、理由はどうあれ、犯人のやったことは〝無差別テロ〟でしかありませんが、この行動により、南部連合旗のイメージも極端に悪化しました。

チャールストン教会銃撃事件で犯人が掲げた南部連合旗「レベル・フラッグ」

この事件後、サウスカロライナ州政府が州議会議事堂から南部連合旗の撤去を決定。以後、多くの地方自治体が、地元にある南部のシンボルを撤去する流れが生まれます。

しかし、こうした動きはレイシズムの抑止にはつながりませんでした。

むしろ南部の人々の鬱屈した疎外感を刺激して、さらに人種差別的な傾向を強め、そのシンボルとして〝南部〟を持ち出す勢力を台頭させる結果をもたらすことになります。

2016年の大統領選挙は、まさにその余韻(よいん)冷めやらぬなかで行われたのです。

結果はご存じの通り、公の場で「メリー・クリスマス」ということさえはばかられる異様な風潮を批判し、不法移民は制限すべきという「常識」を訴えて、善男善女の票を獲得したトランプが当選しました。

しかし、ARAをはじめ「反差別」を〝錦の御旗〟にやりたい放題だった左派リベラル勢力には、その「常識」がどうしても気に入りません。

だから、トランプが大統領の地位にある間中、左派系のメディアはトランプを「人種差別主義者」として執拗なまでに叩き続けてきたわけです。

さらに、トランプ政権が正式に発足した2017年には、いわゆる「シャーロッツヴィル事件」が起こります。

事件の発端は、2015年の「チャールストン教会銃撃事件」を受けて、ヴァージニア州シャーロッツヴィルの解放公園にあるリー将軍の銅像を撤去すべきだとの声が上がってきたことに対し、不安と危機感を覚える人が少なからずいたなかで、過激な右派系論客で、しばしば白人至上主義者ともみなされているジェイソン・ケスラーが、自分たちの勢力拡大のため、そうした空気を利用して抗議集会を呼びかけたことにあります。

そして、2017年8月11・12日、実際に抗議集会が開催されると、そこにクー・クラックス・クラン（KKK）やネオナチ支持者による「右派の団結」のメンバーが多数含まれていたこと

ヴァージニア州シャーロッツヴィルの解放公園（旧リー公園）に1924年に建てられたリー将軍のブロンズ像

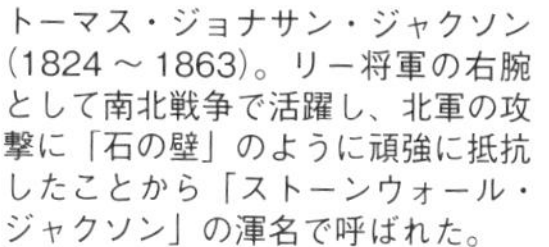

トーマス・ジョナサン・ジャクソン（1824～1863）。リー将軍の右腕として南北戦争で活躍し、北軍の攻撃に「石の壁」のように頑強に抵抗したことから「ストーンウォール・ジャクソン」の渾名で呼ばれた。

から、反差別を掲げる極左集団も〝カウンター〟として多数終結。この両者の衝突によって死者まで発生しました。

事件に心を痛めたリー将軍の玄孫（やしゃご）は「リー将軍の記憶が、不寛容や憎悪のメッセージを撒き散らそうとする人々によって、誤ったかたちで利用されている」ことを非難しています。ようするに「お前たちのヘンな政治主張のためにリー将軍を汚さないでくれ」ということですが、このリー将軍の玄孫だけでなく、南部で普通に暮らしている人々の多くはそのように思っているわけです。

ちなみに、リー将軍の他にも「南軍の英雄」として尊敬を集めている人物に、トーマス・ジョナサン・ジャクソンという将軍がいます。

ジャクソン将軍の子孫は、シャーロッツヴィル事件直後の8月16日に「人種差別主義者たちは、南部連合の像が存在することを自説の根拠として悪用していることがわかった」として、ヴァージニア州議会議事堂に設置されていたジャクソン将軍像を撤去するよう要請しました。

リー家の子孫もジャクソン家の子孫も相当につらかったことでしょう。

トランプは左派勢力の暴走を予見していた

繰り返しますが、リー将軍もジャクソン将軍も、結果として敗軍（賊軍）の将になりましたが、現在なお南部人を中心に多くのアメリカ国民から敬愛されている人物です。

特にリー将軍は、たとえるなら日本人にとっての西郷隆盛のような存在と言えるかもしれません。鹿児島の人たち、薩摩人たちにしてみれば、現在でも「西郷どん」は〝郷土の誇り〟であり〝英雄〟なわけです。

想像してみてください。

鹿児島に行って、西郷さんの銅像や旧宅に、ナチスの鉤十字やらFワード（FUCKなど）を書いたり、ペンキでめちゃくちゃに汚して打ち倒したりしたらどうなるかを……。

「リー将軍の像を撤去せよ！」というリベラル派の主張は、南部の人から見ると、わざわざ鹿児島で「西郷は賊軍だ！」、「琉球を弾圧した差別主義者だ！」などと喚き散らすのと同じか、それ以上の侮辱に見えるわけです。

もちろん、冷静に考えれば、どんな体制でも〝100%の悪〟ということはありえませんから、南部にいた〝立派な人〟への再評価は、彼らの内面の自由として認められてもいいはずです。映画『シンドラーのリスト』のモデルとなったオスカー・シンドラー（自身の経営する工場で雇用していた1000人以上のユダヤ人をナチスの虐殺から救ったドイツ人実業家）だって、工場経営者としてのビジネスの必要から、ナチスの党員であったわけですから。

しかし、アメリカの多くの歴史家は、南部の価値観そのものを全面的に否定し、南部側の言い分に対して全く聞く耳を貸そうとはしません。ただただひたすら、「南北戦争の原因は奴隷制度だった」と主張しています。

そのような教育を子供の頃から受けて育ってきたアメリカの黒人は、公共の場に〝南部のシンボル〟が存在すること自体、自分たちに対する侮辱であり、不愉快だと感じる心性を刷り込まれていくわけです。

そんな空気のなかで、アンティファのような極端な連中が出てきて、リー将軍やジャクソン将軍を侮辱する。それに対して、今度はカウンターとして極端な白人至上主義者が出てきて殺傷事件を起こす。すると今度はそのカウンターで……と事態はいつまでたっても終わらないループに陥ってしまいます。結局、南部の〝フツーの常識人たち〟は、それが嫌になって、自分たちで自分たちの誇りを封印しなければならないという苦渋の決断を迫られているのです。

しかし、強烈なイデオロギーのもとに動いている人たちというのは、「自分たちだけが正しい」という独善に陥るのが常であり、他人の心の痛みには残酷なまでに無頓着です。リー家、ジャクソン家の人たちの声明を受けて、勢いづいた左派リベラルは、銅像撤去を強く支持し、「記念碑は撤去しなくては（Monuments Must Go）」というフレーズがアメリカのツイッターでトレンド入りしました。

一方、騒擾（そうじょう）に参加した極左側のなかに「アンティファ」を名乗る集団がいたことから、一般のアメリカ市民の間では、アンティファの存在が急速に認知されるようになります。それと比例して、彼らの暴力的な行動に対して眉を顰（ひそ）める人も急増していきました。

シャーロッツヴィル事件に関して、8月17日、メーン州のポール・ルページ知事はラジオ番組に出演し、明確にアンティファを非難しました。

その趣旨は、「像を撤去しても、歴史の本質は変わらず、体裁を取り繕っただけにすぎない」、「実際にあった歴史をなかったことにしてしまったら、将来の世代は歴史を学ぶことが不可能になる」、「リー将軍の像を撤去するのと、世界貿易センター跡地や国防総省から2001年9月11日の同時多発テロ事件の慰霊碑を撤去するのと変わらない」……と言うものです。

一方、トランプ大統領は、当時、「第3代大統領で独立宣言を起草したトマス・ジェファーソンや初代大統領のジョージ・ワシントンも奴隷を所有していたが、現状が続くなら、彼らの記念碑も撤去しろとリベラル派が言い出すのは時間の問題だ」と述べています。

このとき、アメリカのメディアの大半は、大統領がアンティファ側を全面的に支持しなかったことをとらえて、トランプを執拗に批判していました。しかし、2020年、アンティファによって銅像の破壊・毀損が相次いだことで、あらためて〝トランプの予見〟は的を射ていたことが証明されました。

なお、事件後、ニューヨーク州のマリスト大学が行った世論調査では、アメリカ人の62%が「歴史的なシンボル」として像を残すべきと考えており、なかでも黒人の44%がこれに同意しているという結果が出ています。

過激な反差別運動と一般的なアメリカ国民との意識のずれが、あらためて明らかになったというわけです。

アメリカの文化大革命と化したBLM運動

話を戻しましょう。こうした問題の蓄積があったうえ、新型コロナウイルス問題での社会的なストレスが高まるなかで、前述した2020年5月の偽札使用の詐欺容疑で拘束されたジョージ・フロイド容疑者が拘束中に死亡する事件が起きたのです。

アンティファ勢力はこれを好機として、全米で抗議活動を展開します。

彼らのなかには、プラカードを掲げて粛々と歩くだけの平和的なデモ隊もありました。しかし、その一方で、「反差別」を口実に日頃の鬱憤を晴らすかのように暴行・略奪を繰り返す輩も少なくありませんでした。

当然のことながら、アンティファの襲撃で被害を受けた人々は警察に助けを求めましたが、駆け付けた警察がアンティファの犯罪行為を取り締まろうとすると、「差別だ!」「レイシズムに抗議するための暴力は〝正しい暴力〟だから許される」などとして、警察官に罵声を浴びせ、暴行を働きました。

この結果、アンティファ勢力によって負傷させられるだけでなく、はなはだしくは殉職する警察官も少なからず出てきたのです。

アンティファやBLMの活動家たちは「黒人の命は大切だ」とは言っても、「警察官の命は大切だ」とは言いません。死傷した警察官のなかには黒人も少なからずいたはずですが、そうした人たちは、彼らから「(命を尊重すべき)黒人」とは認定されないという、ひどいダブルスタンダードです。

アンティファ勢力の破壊衝動の矛先は、トランプ大統領が予見した通り、全米各地で、南北戦争時の南軍指導者や奴隷を所有していたことのある歴史上の人物を〝差別主義者〟などとして、その銅像等を損壊・汚損する動きにもつながっていきました。

そして、６月22日夜には、ついに、デモ隊のグループが「アンドリュー・ジャクソン元大統領は奴隷所有者であり、先住民を大量虐殺した差別主義者である」として、ホワイトハウス前の騎馬像にロープを巻き付けて引き倒そうとする事件が発生します。公園の警備員とシークレット・サービスがすぐさまデモ隊に催涙ガスを用いて事件現場から遠ざけたため、銅像は危うく難を逃れたものの、ホワイトハウスのすぐ近くにまでアンティファの暴動が波及してきたことは、アメリア国民に大きな衝撃を与えました。

さらに、同月25日には、アンティファの活動家たちがワシントンＤＣのリンカーン記念堂近くの奴隷解放記念碑を倒すことを計画していたという情報が事前にホワイトハウスにもたらされます。

南北戦争以前のアメリカには、奴隷を認めている州（奴隷州）と認めない州（自由州）がありました。奴隷州から自由州に逃げ込んだ逃亡奴隷については、旧逃亡奴隷法という法律があり、自由州は奴隷州に身柄を引き渡さなければなりませんでした。

解放記念碑は、その旧逃亡奴隷法の時代に自由州に逃れたものの、不幸にして逮捕されてしまった男性が手かせを外されてリンカーンの足元に跪（ひざまず）いている様子を造形化したものです。銅像のリンカーンは奴隷解放宣言を読み上げています。

奴隷解放記念碑　©Alamy/アフロ

この銅像のデザインについて、アンティファは「跪いた黒人奴隷をリンカーンが見下ろしているのは差別である」、「リンカーンが国父として黒人に〝解放〟を与えるイメージの構図はパターナリズム(家父長主義)であり、パターナリズムは差別である」などと言いがかりをつけて、この銅像を引き倒すべきだと主張していました。

ちなみに、解放記念碑の建設費用は、奴隷の身分から解放された黒人市民の献金を中心に賄われました。しかも、最初に献金したのは、ヴァージニア在住のシャーロット・スコットという女性です。奴隷の身分から解放されたあと、彼女は、アメリカ市民として働いて得た初めての収入のなかから5ドルを差し出して、黒人の寄付でリンカーンに感謝する像をつくろうと提案したのが、記念碑建設のきっかけです。

だから、この像はまさにアメリカ社会が、女性や黒人の人権もきちんと認めて、社会の融和を目指していくことのシンボルなのです。その理念は、政治的な立場を超えて、すべてのアメリカ国民が尊重しなければならない大義です。

したがって、アンティファがこの像を否定するということは、もはやアメリカ国家そのものを否定していると言っても過言ではありません。

当然アメリカ政府としては、そんなことを絶対に許すことはできません。ジェファーソンやワシントンといった「建国の父たち」の銅像を倒すことも、アメリカ国家に対する重大な挑戦ですが、百歩譲って彼らが〝奴隷の所有者〟だったという私生活の面からその非をあげつらうことは、理屈のうえでは可能でしょう（アメリカ国民の大半は賛同しないと思いますが）。

しかし、解放記念碑の否定は、それとは全く次元が異なっています。まさに国体の否定ですから、絶対に越えてはならない一線です。

6月26日夜、トランプ大統領は、ニュージャージー州ベッドミンスターのゴルフ場に行くはずだった予定をキャンセルしてワシントンに残りました。そして、抗議活動の一環として歴史的な記念碑や像を損壊・撤去する行為を取り締まるべく、大統領令に署名します。

そのポイントをトランプの言葉と共にまとめておくと、次のようなものです。

抗議活動の参加者はアメリカの歴史について完全に無知であり、実際に記念碑や像を破壊する暴徒やその支持者、放火犯、極左活動家などは、マルクス主義など、特定のイデオロギーに基づき、合衆国の政治体制を破壊しようとしている。

すでに説明した通り、解放記念碑を破壊しようとすること自体、アメリカに対する大変な「無知」なわけですが、記念碑はまだ破壊されていませんので、トランプは別の例を紹介します。

たとえば、サンフランシスコでは、第18代大統領ユリシーズ・グラントの像（引用者註：グラントは奴隷を所有していましたが、南北戦争では、奴隷制に反対する北軍の将軍として南部連合軍を破っています）や、北軍に参加した移民の像や、南北戦争の際に結成されたアフリカ系アメリカ人部隊の記念碑なども、最近、破壊されている。

少し、補足しておくと、当時アンティファは、彼らが「差別主義者」と認定した人物の像や記念碑のみならず、南北戦争の北軍に従軍した元奴隷や、あるいは奴隷州から逃げて自由州で育った元奴隷の子孫の二世、三世の黒人たちで構成された「アフリカ系アメリカ人部隊の記念碑」も破壊していたわけです。もはや、〝銅像を見れば破壊したくなる〟という精神疾患に冒されていると言っていいでしょう。

あるいは、破壊衝動を満たしたいがために、中国の文化大革命のときの紅衛兵よろしく、どんな破壊活動をしても「造反有理」（文革当時に紅衛兵が使っていた「謀反（むほん）には道理がある」という意味のスローガン）の代わりに「差別だ！」と言えばすべてが許されるというような錯覚に陥っているとも言えるでしょう。

それに応えるようなかたちで、トランプは大統領令のなかで、

記念碑の建立や撤去を平和的に訴える権利は、誰にでも、そしてどんな団体に対しても認められている。しかし、いかなる記念碑であろうとも、暴力を用いて傷つけたり、汚したり、撤去したりする権利はない。

と、誰もが否定できない〝常識〟を強調しています。

ところで、これとは別に、大統領令のなかには、宗教関係の器物損壊の罪は厳罰に処すという趣旨の文言（もんごん）が入っています。

我々から見ると、いささか唐突な感じがしますが、これは、極左活動家のショーン・キングが、「イエス・キリストだとか言われている白人の像も、白人至上主義の一種だから撤去すべきだと思う。聖書では、イエスの家族が（ヘロデ王の迫害から）逃れていった先はどこだった？エジプトじゃないか！（北欧の）デンマークじゃない」という趣旨のツイートを行ったことを、念頭においたものと思われます。やはり、この発言も、キリスト教徒が多数派を占めるアメリカ合衆国の大統領としては見過ごすわけにはいきません。

なお、トランプがこの大統領令に署名した際、日本の報道では「記念碑や銅像の破壊には最大禁錮10年の刑を科す大統領令」と報じていたところが多かったのですが、もともと、アメリカには公共物の損壊罪には最大10年の禁錮刑を科すとする法律の規定があって、大統領令はそれを引用し、厳格に適用することを求めただけのことです。

あわせて、大統領令には、法と秩序の維持に責任を有する地方の法機関や警察がこうした「暴徒の支配」を看過した場合、連邦政府からの補助金を停止することも含まれていました。ようするに「法律に定められたことは粛々と実行しなさい」ということですから、トランプであろうとなかろうと、大統領という立場の人間が出す命令としては当然の内容です。

大統領選挙の争点としての「法と秩序」

今回のアンティファ／BLM騒動と同様、大統領選挙期間中に人種問題、より端的にいえば黒人差別の問題に関する抗議行動が注目を集めた事例としては、ジョン・F・ケネディが当選した1960年の選挙、リチャード・ニクソンが当選した1968年の選挙があります。

前述の1955〜1956年のバス・ボイコット運動で一躍全米の注目を集めることになったキング牧師は、大統領選挙戦さなかの1960年10月19日、ジョージア州アトランタのリッチ百貨店の食堂の白人専用席に座り、立ち退かなかった容疑で逮捕されました。

このとき、共和党候補で現職副大統領のニクソンが事態を静観していたのに対して、民主党のケネディ陣営は大統領候補のジョン本人がキング夫人に同情の電話をかけました。また、それと並行して、選対本部を仕切っていた弟のロバート・ケネディ（ボビー）が事件担当の地方検事に電話をかけてキング牧師の釈放を求め、実現させました。

これらはケネディ陣営の機動力の賜物であり、黒人票を取り込むうえで絶大な効果を発揮します。ケネディ候補が、大接戦を制して当選する重要な要因のひとつとなりました。

一方、1968年の大統領選挙では、現職のリンドン・ジョンソン大統領が不出馬を表明したあと、民主党の候補者選びが白熱するなか、4月4日、キング牧師が遊説先のテネシー州メンフィスで、白人男性のジェームズ・アール・レイに射殺される事件が発生します。

時あたかも、ベトナム反戦運動と公民権運動が両者相まって盛り上がっている状況のなかで、キング暗殺の悲報に接した黒人たちが激昂し、各地で抗議の黒人暴動が発生。全米が騒然とした空気のなかで、ボビーは遊説先のインディアナ州インディアナポリスの黒人街で、セキュリティ上の理由から反対する周囲の声を押し切って、即興でスピーチを行いました。

スピーチは、まず集まった聴衆にキング牧師が亡くなったことを伝え、愛と正義に生涯を捧げ、その結果として命を落とした彼をたたえることから始まり、ボビーは聴衆にこう問いかけます。

我々のアメリカ合衆国はどのような国なのか、そして、どこへ向かおうとしているのか。続けて、白人に対する憎悪の念に駆られる黒人たちを前に、次のように語りかけます。

今回の事件のような不義不正を目にし、すべての白人に対する憎しみや不信感を強くお持ちの黒人の皆さん、私自身も皆さんと全く同じ感情を共有できると申し上げたい。私の家族にも殺された者がおります。彼は白人に殺されました。しかし、私たちはこのアメリカという国のなかで努力を、この非常に困難な時期を乗り越えていくために、お互いが理解し合えるように努力をしていかなくてはならないのです。

兄ジョンの暗殺事件のことを取り上げて、国民の和解を解くボビーの真摯(しんし)な態度に人々は粛然となりました。

さらに、彼は「眠っているときでさえも忘れることのできない痛みは、一滴ずつ、心に滴り落ちる。我々自身の失望のなかで、我々の意思に反して、おごそかなる神のお導きによって叡智が我々の元に来るまで」という古代ギリシャの詩人アイスキュロスの言葉を引用したうえで、次のように続けました。

今、私たちアメリカ合衆国が必要としているのは分断ではありません。憎しみでもありません。暴力や無法状態でもありません。愛と叡智、お互いを思いやる気持ち、現在なおこの国で苦しんでいる同胞に対する正義の心です。それは、白人であろうと、黒人であろうと変わることはありません。ですから皆さん、お願いですから、ご自宅に戻り、マーティン・ルーサー・キングJr牧師のために祈りをささげてください。えぇ、その通りです。そして、もっと大切なことは、私たちのこの国、私たちの誰もが愛する国家のため、お互いが理解し合い、他者への思いやりを持てるよう、祈りをささげてください。

私たちはこの国できっとうまくやっていける。これからは大変な時代になります。しかし、これまでにも困難な時代はありました。今すぐ、暴力が止むわけでも、無法状態が終わるわけでも、社会の混乱が鎮まるわけでもないでしょう。それでも、この国の大多数の白人と大多数の黒人は、共に暮らし、生活の質を高め、我が国に住むすべての人々のために正義を求めているのです。

全米で数千の負傷者と43名の死者が発生するなかで、ボビーが演説を行ったインディアナポリスだけは、平静を保っていました。そして、彼のスピーチは全米に広く知られるようになり、ボビーはアメリカの正義と良心の象徴としての揺るぎない地位を確保します。

その結果、彼はインディアナ州とネブラスカ州の予備選を制し、オレゴン州こそマッカーシーに敗れたものの、6月4日には最大の代議員を抱えるカリフォルニア州で勝利を収めました。

ここまでくれば、あとは現職の副大統領ヒューバート・ハンフリーとの一騎打ちです。世論の流れは完全にボビーに傾いており、ボビーの指名獲得は確実視されるようになります。もちろん、秋の本選挙では、ボビー大統領が誕生する可能性はきわめて高いとみられていました。

ところが、ロサンゼルスのアンバサダーホテルで開催された、カリフォルニアでの予備選の祝勝会で演説したあと、会場を出るための近道として調理場を抜けて行く途中、24歳のパレスチナ系アメリカ人、サーハン・ベジャラ・サーハンがボビーを狙撃。銃弾は彼の右脳を損傷し、翌6日、ボビーは亡くなります。

こうした混乱に対して、ニクソン陣営は、「法と秩序の回復」を訴えて国民の支持を拡大し、秋の大統領選挙では悲願の当選を果たしました。

このように、人種問題でアメリカが騒然とするなかで行われた過去の選挙戦では、「〝人種間の融和〟と〝法と秩序〟のどちらを優先すべきか」が重要な争点のひとつとなっていたわけです。その点では、2020年の大統領選挙でも同様の側面があったことは見逃せません。

もちろん、2016年の大統領選挙のときから、リベラル過激派の過剰なポリコレに異議を唱えてきたトランプは、現職大統領としての責任もあり、「法と秩序」を重視する立場をとりました。一方、バイデン陣営は、それを「人種差別」として徹底的に攻撃したわけです。

ちなみに、2020年の大統領選挙の結果を見ると、ポリコレに苦しめられ続けてきた旧南部連合の諸州は、リー将軍の出身地であるヴァージニア州と、ジョージア州を除き、トランプが勝利しています。

トランプが負けたというより、バイデンが買った?

結局、2020年の大統領選挙では、民主党のバイデン候補が勝利し、2021年1月20日、バイデン政権が発足しました。

バイデンが勝利し、トランプが負けたと書きましたが、2016年の大統領選挙のトランプの得票が約6300万票だったのに対して、2020年の選挙では7380万票以上と1000万票以上を上積みし、米史上2番目の得票数となっています。トランプ政権の4年間の実績は、それなりに有権者に評価され、支持を集めていたことと理解してよいでしょう。

とはいえ、結果的には対立候補のバイデンが、それを超える史上最多の8000万票を得て当選してしまったわけです。

トランプ政権は、2対1ルール（新たな規制を1つ導入するには、既存の規制を2つ以上撤廃しなければならない、とする指針）による規制緩和と減税を進めましたから、少なくとも、2020年に新型コロナウイルスが問題になるまで、アメリカ経済は好調でした。したがって、トランプ政権下での地方選挙（知事選挙など）でも、今までのアメリカ政治の流れでは、共和党候補が圧倒的に有利だったはずなのですが、実際には、共和党候補の落選が続いており、選挙の争点が、経済からポリコレなどの〝アイデンティティ・ポリティクス〟へとシフトしつつある傾向が指摘されていました。さらに、民主党はネットを通じた小口献金を集めることに注力し、票の掘り起こしに成功しました。

日本では、選挙の際には、黙っていても住民票のある住所に投票用紙が送られてきますが、アメリカの場合は、投票する意思のある有権者は事前に登録する必要があります。そこで、最初のハードルとして、いかに、支持者に有権者登録をさせるかということが選挙戦の大きなポイントになります。

そこで、民主党はインターネット上で、少額の献金をワンクリックで行うことを呼びかけました。5ドルや10ドルであれば、なんとなく民主党候補が良いなという程度の漠たる支持者であっても、抵抗なく支援してくれます。そして、たとえどんなに少額であっても、ある候補に献金をした人は、かなりの高確率で有権者登録を行い、その候補に投票するでしょうから、〝票の掘り起こし〟にもつながるわけです。

こうしたネットの小口献金の口数・金額において、2020年の大統領選挙では、民主党が共和党をリードし続けていました。

従来の大統領選挙であれば、選挙の年の経済状況、特に雇用状況が好調であれば、現職大統領が圧倒的に優位という傾向が強かったのですが、今回の選挙では、そこにくさびを打つ新しいトレンドが見られたわけです。

しかし、そうした時流の変化はまだまだ多くの人たちには十分認識されているわけではありませんので、多くの実績を積み上げ、経済も好調で、前回よりも大きく得票を伸ばしたトランプ候補が当選できなかったことに対して、トランプ本人、そして熱心なトランプ支持者の間には納得できない思いがくすぶり続け、各種のデマや怪しげな〝陰謀論〟がネットを中心に流布（るふ）することになりました。

たとえば、「ミシガン州の19の選挙区では投票率が100％を超えた」、「ウィスコンシン州では登録有権者（312万9000人）の人数より投票数（323万9920人）が多かった」などというものがその典型です。

ただし、ミシガン州の告発に関しては、〝証拠〟とされた有権者名簿はミネソタ州のものでしたし、ウィスコンシン州場合も、〝証拠〟の名簿は有権者登録期間中の古いバージョンのものので、最終的な登録者数は368万人以上で投票者数を上回っています。

また、全米各地で使われたドミニオン社の集計マシンが数百万ものトランプ票を不正に削除した、またはバイデン票に書き換えたという情報についても、実際には、そうした事実は確認されておらず、機械の操作ミスがあった投票所についても、ミスが指摘されたあと、すぐに修正されていたことが判明しています。

さらに、「ドミニオンにソフトを提供しているスペインのIT企業サイトルがドイツに置いているサーバーを米軍が差し押さえた。サーバーを守っていたCIAの傭兵部隊と米軍の銃撃戦で、米軍兵士が殉職した」といった類(たぐい)のネット情報に至っては、まともに取り上げる必要もない与太話の類であることはいうまでもありません。

しかし、そうした荒唐無稽なデマを信用する人が一定の割合で存在するということ自体、アメリカ社会の亀裂がいかに深刻なものであるかを雄弁に物語っているといってよいでしょう。

最後の〝メリー・クリスマス〟になるのか？

2020年12月25日、トランプは大統領として最後のクリスマスメッセージを発し、そのなかでしっかりと〝Merry Christmas!〟の文言を入れていました。しかし、バイデン政権の発足後は再び〝Merry Christmas!〟は封印され、ポリコレ派の主張をいれて〝Happy

Holidays!〟との表現が使われることになるのでしょう。

このことを、差別解消に向けての歩みが復活したと評価する人もいるのでしょうが、その一方で、ＢＬＭ／アンティファなどリベラル過激派が影響力を強める〝地獄への一里塚〟ととらえる人も多いはずです。

「ポリコレ」という大義名分のもとに、先祖伝来の地域の〝誇り〟を表現する自由を極限まで削り取られてきた南部の人たちにとっては、もはや宗教くらいしか精神の平衡を保つための手段が残されていません。

現在、アメリカは世界でも最大の新型コロナの重症者を抱え、多数の死者が出ています。当然のことながら、州ごとの状況に応じて、感染防止のための規制措置がとられているわけですが、実はそのことが地域の宗教コミュニティに大きな打撃を与えているという点はもっと注目されてよいと思います。

日本人の感覚では、もっぱら宗教は〝個人の内面問題〟として理解されますが、もともとアメリカ合衆国は宗教コミュニティの集合体としてスタートした国です。したがって、アメリカ人としての伝統的な価値観（それを強く維持している人が保守派なわけですが）に従えば、信仰を同じくする者同士が集まり、地域の情報と価値観を共有し、問題があれば話し合うというのは、社会の在り方がどれほど変化しようと、絶対に不可欠なのです。

そもそも、キリスト教に限らず、イスラム教だって毎週金曜日にはモスクに集まって集団礼拝をしています。他にも、頻度は年に数回かもしれないけれど、それぞれの宗教にはそれぞれ重要な祭礼があり、その準備を含めて信徒たちが集まることで、信仰の絆を再確認していくわけです。宗教にとっては「人が特定の場所に集まる」という集会ができなければ、教団を維持していくことはほぼ不可能です。今後、ウェブを使っての信徒の交流が拡大していくとしても、やはりその地域の信徒が一堂に会する機会がなくてもよいということにはなりません。

だから、たとえばミシガン州で、民主党のリベラルな知事が、いわゆるロックダウンを強行し、それを続けようとしたことに対して、保守派と思しき白人の男たちが強硬に反対したのも、単に遊びや仕事で外出したかったからではありません。

もちろん、遊びに行きたいとか、ビジネスに支障が出るから嫌だという人たちもいたでしょうが、それとあわせて、とにかく教会に集まって集会をする権利を私たちから奪うな、教会で祈ることを阻害するのは憲法違反じゃないか、という主張があったわけです。

実際、現地の保守派のメルマガ等を読んでみると、（教会での）集会の権利が制限されることへの怨嗟の声で満ち溢れていました。

この傾向は、大都市圏ではそれほどではないかもしれませんが、田舎に行けば行くほど強くなってきます。

そうなってくると、もはやポリコレとの戦いは、社会を維持していく本能として避けられません。アメリカの宗教保守派（「福音派」に代表されるキリスト教の保守勢力）が言うところの、まさに〝唯物論と信仰の戦い〟に他ならないわけです。

トランプは、宗教保守派から見れば、特に信仰心が篤いわけではありません。それでも、アメリカの伝統的な価値観と、限りなく唯物論に近づいているポリコレとの戦いをこのまま放置しておくと、最終的には〝信仰と唯物論の泥沼の戦い〟に行き着いてしまうという危機感を強く持っていました。トランプでなくても、アメリカの保守派の認識はほぼ一致しています。

ですから、選挙後の勝利宣言でバイデンが「国民を分断ではなく、団結させる大統領になることを誓う」と述べたことは、保守派の人々からすると、ポリコレの名のもとに伝統的な価値観を圧殺し、唯物論で全米を覆いつくすことによって、国民の自由を抑圧するリベラル（ないしはポリコレ）全体主義の社会をつくるという意思表示にしか聞こえないわけです。

さらに、高齢で健康不安もあるバイデンに万一のことがあったときに、大統領に昇格する副大統領のカマラ・ハリスは、2019年には「最もリベラルな上院議員」と評価された人物です。なにせ、彼女の両親は〝急進的リベラルの牙城（がじょう）〟であったUCバークレーの左翼学生として出会い、幼児だった彼女をベビーカーに乗せてデモに参加していたことを誇らしげに語っているくらいで、保守派から見れば眉を顰（ひそ）めるほどの〝極左〟と認定されています。

議会への暴徒侵入事件の傷

リベラルが勝利宣言を行い、トランプ政権の4年間はアメリカの分断を加速させたと断じる一方、熱心なトランプ支持者はバイデンの当選は不正選挙によるものとして異議を唱え続けるという緊張状態のなかで、2021年1月6日、バイデン候補の勝利を正式に確認するため、上下両院で会議が開かれました。

これに対して、大規模な不正があったとして選挙結果に異議を唱え、トランプ大統領支持を訴えていた抗議集会の参加者の一部が議事堂内に侵入。審議が中断され、敷地内での銃撃で女性1人と警備員ら計5名が死亡する騒乱状態になりました。連邦議事堂の襲撃は、19世紀初めの米英戦争以来、200年ぶりの不祥事です。

合衆国憲法修正第1条から同第10条までは、「権利の章典」と呼ばれ、アメリカ国民の基本的人権についての規定がまとめられています。

その第1条は「合衆国議会は、国教を樹立、または宗教上の行為を自由に行うことを禁止する法律、言論または報道の自由を制限する法律、ならびに、人民が平穏に集会しまた苦情の処理を求めて政府に対し請願する権利を侵害する法律を制定してはならない（Congress shall make no law respecting an establishment of religion, or prohibiting the free exercise thereof; or abridging the freedom of speech, or of the press; or the right of the people peaceably to assemble, and to petition the government for a redress of grievances.)」となっていますが、ここでいう「人民が平穏に集う権利（right of the people peaceably to assemble)」には、議会での審議も含まれています。

どんな国でも、憲法1条はその国にとって最も重要な国是や、その国の国家体制の根本について規定しています。我が国の日本国憲法では「天皇は、日本国の象徴であり日本国民統合の象徴であって、この地位は、主権の存する日本国民の総意に基づく」となっており、象徴天皇制が国の根幹にあることを宣言しています。

したがって、単純な比較はできないものの、アメリカ国民にとって、議会での審議を暴力で妨害し、警備員が殉職するということは、日本人にとって、皇居に暴徒が乱入し、皇宮警察の警察官が殉職するというのと同じくらいの衝撃的な事件だといってよいかもしれません。

この点において、仮に、トランプ本人が暴徒の侵入や、その前の抗議集会に無関係であったとしても（実際には、トランプは支持者に集会への参加を事前に呼びかけていましたが）、それこそアメリカの〝法と秩序〟に責任を負う立場にありながら、その責務を果たせなかったトランプは大統領の座を追われても仕方ありません。実際、この件については、民主党のみならず、共和党内からもトランプを非難する声がほとんどで、連邦下院では、大統領弾劾決議が可決されています。ただし、上院の弾劾裁判では、２月13日に、トランプに対して無罪評決が下されましたが。

こうして、晩節を汚すかたちでホワイトハウスを去ることになったトランプですが、その強烈な個性が、ポリコレの奔流に対する〝壁〟として一定の機能を果たしてきたものの、最後はその〝壁の重さ〟ゆえに自壊してしまったと評することも可能かもしれません。

いずれにせよ、トランプ政権の４年間は、日本のメディア等でしばしば言われているように、「アメリカ社会の分断を加速させた」というよりも、むしろ「リベラル過激派の極端なポリコレの呪縛から、いささかなりともアメリカ社会の〝自由〟を回復させた」という側面があることは十分に留意すべきでしょう。

一方、トランプないしはトランプ的なものを排除し、「分断の解消」を唱えるバイデン政権の存在は、客観的に見ると、社会の〝分断〟なり〝軋轢〟なりを強める方向にしかベクトルが向いていないということを意識しておかないと、アメリカという国を根本から見誤ることになるのではないかと思います。

第2章

【中国を読む】香港・ウイグル征服を狙う野望を読み解く

香港をめぐる米中の激しいバトルの〝火種〟

中華人民共和国という国が、中国共産党の一党独裁体制下の人権抑圧体制になっていることは周知の通りです。これまでにも、チベットやウイグルでの人権侵害は全世界的に問題になってきたわけですが、残念ながら、日本では世論の関心があまり高くはありませんでした。

もちろん、その背景には日本の大手メディアが日中記者協定の〝制約〟（＝中国に不利なことを報道すると取材に支障が出る）のため、中国側に配慮して中国のタブーには触れてこなかったということが大きな要因としてあります。しかし、やはり多くの日本人にとってチベットやウイグルは、どこか〝遠い国〟というイメージがあって、関心を持ちづらかったことも事実です。

とはいえ、こうした状況も2019年6月以降、香港でいわゆる「逃亡犯条例」問題がクローズアップされたこと、特に日本でも人気のある周庭（アグネスチョウ）のような若い女性の民主活動家が弾圧されている実態を多くの日本人が知ったことで、ちょっと事情が変わってきたように思えます。香港問題を入り口にして、中国共産党によるチベットやウイグルの人権侵害への関心も徐々に高まってきたというわけです。

さて、近年なにかとニュースで取り上げられることの多い香港ですが、日々のニュースを追っているだけでは、何となく大変なことが起きていることはわかっても、どういう経緯でその問題が起こっているのかがいまひとつわかりづらいだろうと思います。

特にアメリカと中国との関係で見た場合、日本では、トランプ政権の登場以降、いきなり米中が香港をめぐって激しいバトルを繰り広げるようになったというイメージで捉えている人も多いようですが、実はその〝火種〟はずっと前からありました。にもかかわらず、一般的な報道では、現在香港で起きているさまざまな出来事につながる歴史的な経緯の説明がすっぽり抜けてしまっているのです。

ということで、この章ではアメリカと香港の関係の歴史を踏まえながら香港問題にフォーカスしていきましょう。

あえて香港を〝解放〟しなかった中国の狙い

香港とアメリカの関係は、実はアヘン戦争の時代から始まります。また、幕末のペリーの黒船は、大西洋から喜望峰を越えてインド洋に入り、香港で日本についての情報収集をしてから浦賀にやって来ました。

もっとも、そこからの米香関係を話し出すと、それだけでかなりのボリュームになってしまいます。とりあえずは現在の香港の〝起点〟として、１９８４年12月に「香港問題に関する英

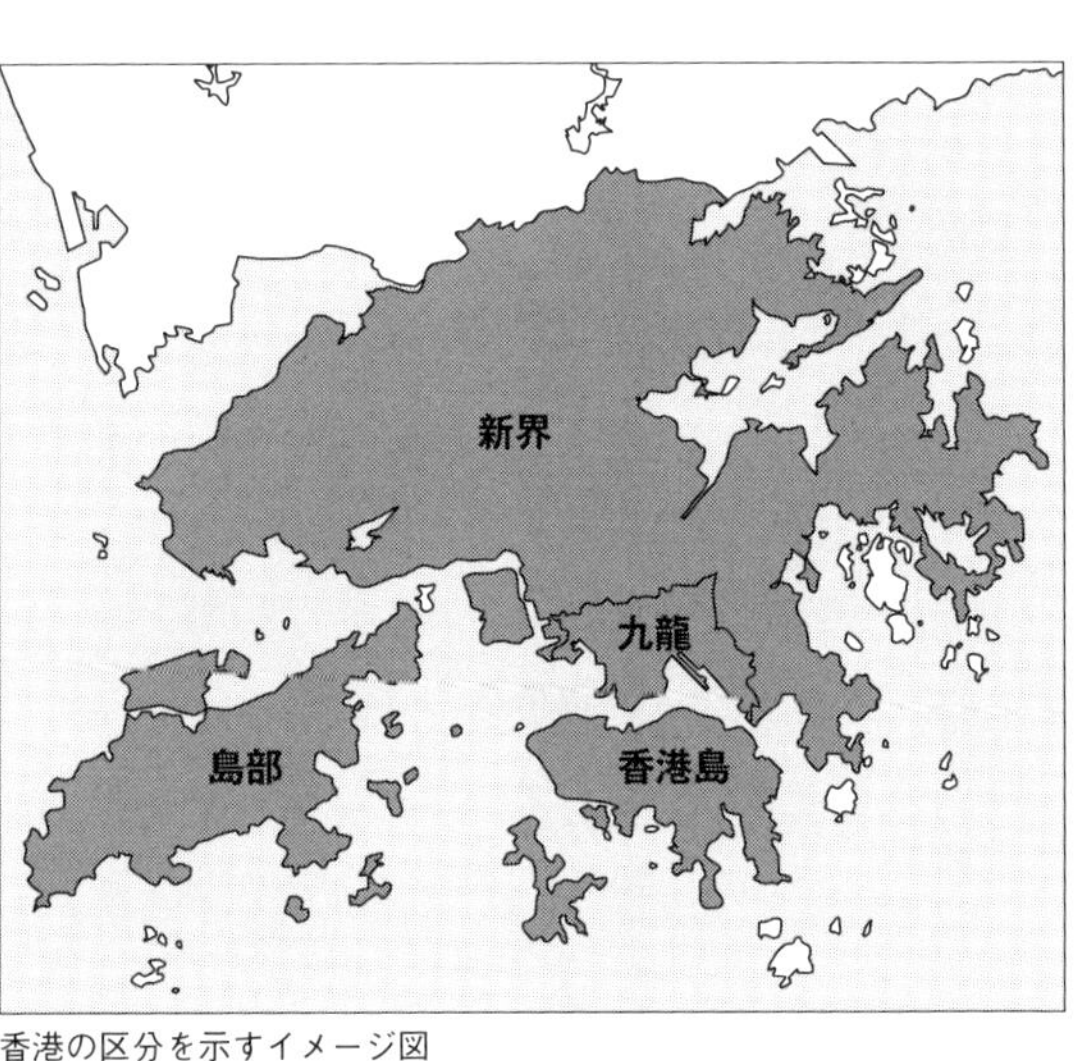

香港の区分を示すイメージ図

中共同宣言（英中共同宣言）」が結ばれたところから話を始めましょう。

そもそも、行政上の「香港」というのは、アヘン戦争の結果、1842年の南京条約でイギリスに割譲された香港島と、1865年の北京条約で割譲された九龍市街地、1898年の展拓香港界址専条でイギリスに99年間の期限で租借された新界地域の3つの部分から成り立っていました。理論上、「返還」が問題となるのは新界地区のみですが、3つの地区は密接に結びついていて、切り離すことは不可能というのが実情でした。

香港の「返還」問題が現実の政治課題として浮上してきたのは、1970年代末以降のことです。

実は当時の香港では、住宅ローンの最長貸付期間が15年間だったので、1982年7月以降の住宅ローンは1997年の返還後にまたがる契約となる可能性がありました。ということはつまり、返還後の具体的な見通しが立たない状況では、新規の契約が成立しづらい状況になっていたわけです。

そこで、１９７９年3月、イギリスの香港総督マクルホースが北京を公式訪問して鄧小平と会談し、１９９７年に迫った新界租借期限の延長を申し出ます。

これに対して、鄧小平は１９９７年を越える契約については何も言わず、今後の方向について「中国は新界だけでなく香港全体を必ず取り返すが、香港の現状は維持する」と述べただけでした。また、このときには「香港の投資家は安心してもよい」と発言したものの、〃返還〃についての具体的な提案は何もしていません。

実は１９４９年10月1日に天安門広場で中華人民共和国の建国式典が行われ、毛沢東が中華人民共和国の成立を宣言した時点では、蔣介石の国民政府が依然として華南三省と西南部三省の大半を支配していました。

香港に隣接する廣州が陥落するのは10月14日のことですが、このとき、人民解放軍が余勢をかって英領香港に攻め込んでいたら、おそらく香港もすぐに陥落していたでしょう。

鄧小平（1904～1997）。毛沢東の死後、事実上の中国の最高指導者となり、経済特区の設置や海外資本を積極的に導入するなどのいわゆる改革開放政策を推進した。

しかし、人民解放軍は国境で進軍を停止。あえて香港を武力で〝解放〟せず、英領植民地のまま現状維持するという選択をしました。

なぜでしょうか。

当時は東西冷戦の時代ですから、当然、西側による中国（共産勢力）の封じ込めが予想されます。そこで、そのための〝保険〟として香港を英領のまま残しておくことで、西側に対する窓口を確保し、日本の江戸時代の長崎の「出島」同様、香港からカネやモノ、情報などのさまざまな〝実利〟を得ようとしたわけです。

ただし、そのためには、香港租借地の主権が中国側にあるという建前は最大限尊重されることが大前提となっていました。

逆に言えば、香港租借地の主権が中国にあることさえ確認されていれば、〝英領香港（租借地の新界＋九龍市街地＋香港島）〟に経済的な富と情報が集中し、その一部を確実に吸い上げることができます。香港がイギリスの植民地であることで〝金の卵を産むガチョウ〟でいてくれるなら、わざわざ自分たちで香港を直接支配する必要はない、というのが当時の中国共産党の発想でした（これはあくまでも、香港の経済力が中国本土を圧倒していた時代ならではの事情によるものですが）。

したがって、実は１９７０年代末の時点では、中国政府としても「イギリスが本当に香港全体を無条件で返還してきたら、香港から吸い上げてきたうまみが大幅に減ってしまう。さりとて、香港は中国領と言っている以上、それを断るわけにもいかないので、困ったことになるなぁ……」というのが本音だったわけです。

〝鉄の女〟サッチャーは絶望的な外交音痴だった！

さて、マクルホースと鄧小平の会談を受けて、イギリス側は香港からの〝撤退〟に向けていくつかの重要な布石を打っていきます。

そのひとつが、１９８１年の「イギリス国籍法」の公布です。

この新国籍法により、イギリスのパスポートを持つ香港市民は、イギリスでの居住権を持たない〝イギリス属領市民〟に分類されることになりました。香港が中国に返還された場合、香港市民はイギリスの市民権を失う、つまり、イギリスは「香港市民を見捨てる」と公言したのです。

さらに、１９８２年には香港区議会選挙が実施されました。

香港の〝区議会〟は実質的な権限を持たず、独自の予算もないことから、権力機構とはいえません。そのため、中国側はこれに反対できませんでしたが、区議会の設置は結果として住民の政治への関心を高め、将来の選挙制度の普及のためのステップとなりました。現在の香港民主化運動のルーツは、実はここにあるといえます。

こうした前段を経て、1982年9月、いよいよイギリス首相のマーガレット・サッチャーが中国を訪問し、香港返還に関する英中両国政府の具体的な話し合いが始まりました。

英国を立て直した「鉄の女」として内政面では評価の高いサッチャーですが、イギリスの首相を「大英帝国の経営者」と定義するなら、彼女は絶望的な外交音痴です。彼女に匹敵する外交音痴は、スターリンと手を結んでナチス・ドイツと戦い、戦争の勝利と引き換えに大英帝国を破綻のふちに追い込んだチャーチルくらいでしょうか。

ちなみに、フォークランド紛争に際して、アルゼンチンとの開戦にしり込みする閣僚を前に「私の内閣に男は一人しかいないのか」と叱咤したとの伝説がまことしやかに語られていますが、これは後に創作された完全なフィクションで、サッチャーの回想録を含め、件の発言を裏付ける資料はありません。フォークランド諸島は南氷洋をめぐるイギリスの権益にとって死活的に重要な場所ですから、サッチャーであろうとなかろうと、イギリスの首相であれば開戦の決断は当然のことで、それ以外の選択肢はあり得ません。

中国側の本音を正確に把握していたイギリス外務省は、サッチャーに対して「1997年以降、イギリスの香港支配を続けることは事実上不可能で、（新界のみならず）香港（全体）の主権を中国に返還せざるをえない」と進言します。

その〝真意〟は、過去の経緯を踏まえ、一見善意を装いながら、実際には中国にとっていちばん厄介な手を打つことで、イギリスが交渉の主導権を握るということです。

通常の知能を持つ大英帝国の経営者であれば、即座にそれを理解できるはずでした。

しかし、悲しいかな、彼女の知能では、こうした曖昧な関係は全く理解できませんでした。当時の彼女は、フォークランド戦争に勝利を収め、〝鉄の女〟としてイギリス経済を立て直しつつあるという自信に満ちており、香港問題でも強硬姿勢を貫けば中国は譲歩するはずだと、何の根拠もなく思い込んでいました。正直なところ、鄧小平の中国を甘く見ていたという面は否定できません。

その結果、彼女は「香港島と九龍市街地はイギリス領である」と声高（こわだか）に主張し続けます。

マーガレット・サッチャー

老獪（ろうかい）な鄧小平にとって、サッチャーの無邪気な（「愚か」と言い換えてもいいでしょう）強硬姿勢は、まさに〝渡りに船〟でした。

すなわち、当時の中国（くどいようですが、この時点では、経済力は香港のほうが圧倒的に上です）は、建国以来の基本方針として、１９９７年以降も香港を〝外国〟として維持したいというのが本音でした。

仮にイギリスが、外務省の方針通り、香港の〝一括返還〟を中国に申し入れていたら、植民地の解放を国是とする中国はそれを受け入れざるをえません。その場合、香港の〝現状維持〟のためにイギリスに〝協力〟を仰ぐという構図になり、交渉の主導権をイギリスに握られてしまいます。

ところが、サッチャーが強硬姿勢をとったことによって、鄧小平は「もし中国が1984年末までに香港の主権問題で合意しなければ、中国政府は独自の解決を宣言する」と応じることが可能になります。

その結果、「本来なら中国は武力で英国から香港を回収し、完全に中国本土と同じ体制にしてもかまわないのだが、中国側の〝善意〟として、英領時代の制度を維持させてあげてもいい」という恩着せがましい態度をとって、香港の〝現状維持〟という果実を勝ちとることが可能になったのです。

香港住人を無視して進められた香港返還交渉

サッチャーの愚かな振る舞いに頭を抱えたイギリス外務省は、何とか失地の回復を狙いました。しかし結局、1983年3月、サッチャーは趙紫陽（中国首相）宛の書簡で「妥当な解決策が見出せれば、香港の主権の委譲を議会に提案する」と表明。この時点で、交渉の主導権は完全に中国に握られてしまいます。

その後も、サッチャーの不始末を尻ぬぐいしなければならなかったイギリス外務省は、香港の主権を放棄したうえで行政権を維持するというアクロバティックな提案で抵抗しました。しかし同年10月、ついに香港の行政権返還にも事実上同意します。

慌しく進められていく英中交渉に対して、１９８４年3月、香港の立法評議会は「英中交渉で香港の将来に関する提案が合意される場合、事前に、必ず香港議会で討議されるべきである」との動議を全会一致で採択しました。

北京で開かれている英中交渉には、イギリスの香港総督は参加するものの、香港の住民代表には一切の発言権もなく、交渉の経緯も明らかにされていません。

つまり、この動議は、自分たちの頭越しに自分たちの将来が勝手に決められていくことに対して、立法評議会が見せたせめてもの抵抗だったわけです。

しかし、その後も英中交渉は香港の住民を無視して進められ、１９８４年４月にはイギリスが香港の行政権も中国に返還することに同意。また、翌5月には鄧小平の鶴の一声で、１９９７年以降、中国が主権を回収したことの象徴として、中国人民解放軍が香港に駐留することが明らかにされます。

こうして、1984年9月26日、北京で「香港の将来に関する大ブリテンおよび北アイルランド連合王国政府と中華人民共和国政府の協定草案」（香港問題に関する英中合意文書）の仮調印が行われました。この合意文書は、全国人民代表大会とイギリス上下院での審議を経て、同年12月19日、正式に「英中共同宣言」として調印されます。

この共同宣言によって、英領香港は1997年7月1日をもって中国に一括返還されることが決定。以後、香港は「中国香港」となり、中華人民共和国の特別行政区として、50年間（2047年6月30日まで）、英領時代の社会・経済制度が維持される（＝社会主義政策を実施しない）ことになりました。香港は中国に属しながらも、本土とは異なる制度が適用されるという、いわゆる「一国二制度」です。これは香港問題ではよく出てくるキーワードですね。

ともかくも、こうして1997年の返還に向けての「過渡期」が始まったわけです。

最初から〝一国二制度〟を骨抜きにする気だった中国

もっとも、英中共同宣言ついては、当初から、中国側が返還後も英領香港の制度を尊重するかどうかは、かなり疑いの目で見られていました。

共同宣言は本調印が行われる前に仮調印が行われたのですが、その直前の1984年6月、香港の行政評議会と立法評議会（ちなみに、当時の香港では普通選挙も行われていません）の代表3名が北京を訪問し、鄧小平と会談しました。

ところが、その際、中国側は彼らを〝香港代表〟として扱うことを拒絶します。〝香港代表〟ではなく、あくまでも〝中国の一地方の代表〟にすぎないというわけです。

実際、鄧小平は会談で「君たちに言いたいことがあれば何でも言えばいい。しかし、中華人民共和国の中央政府が決定した立場、方針ならびに政策を変えることは絶対にできない」し、「交渉はあくまでも中国とイギリスの間で決着させる」と一喝しています。

ようするに、中国側は当初から「一国二制度」など骨抜きにする気満々だったということです。ただ、あくまでも「一国」の枠組に香港を組み込もうという〝本音〟が中国側にあるにせよ、それをハードにやるかソフトにやるかという問題があります。

一方、イギリスはイギリスで、「一国二制度」は、1997年の返還時点での制度を、以後50年間維持するものと理解していましたから、大慌てで香港の民主化を進めました。

民主化を進めることで、中国政府と対立するとまではいかなくても、必ずしも言いなりにはならない勢力を育成し、返還後も香港に対する影響力の足掛かりを残しておこうと考えたのです（さすがにこの程度なら、サッチャーのような〝単細胞〟でも十分に理解できました）。そして、その一環として、立法評議会に間接選挙を導入するというかたちで、香港で選挙制度が実施されることになりました。いうなれば、イギリスは香港への〝置き土産〟というかたちで「選挙」を残していったということですね。

アメリカにとっての香港と中国は〝別の国〟

ともかくもこうして1997年7月1日の「返還」が決まると、1990年には返還後の香港の基本的な枠組みを決めた「香港特別行政区基本法（基本法）」、すなわち香港の憲法にあたるものと言われている法律が制定されます。

さて、「米香関係を振り返る」と言いながらもなかなかアメリカが出てきませんでしたが、ここでいよいよアメリカの登場です。

返還の決定と基本法の制定を受けて、アメリカとしても、とりあえずは一国二制度が（実態はともかく）制度として担保されたことが確認できました。そこで、1997年以降のアメリカと香港の関係をどうしようかと動き出し、1992年に「米国香港政策法（政策法）」を成立させます。中国本土とは司法・経済制度が異なる英領香港に対して、アメリカが認めてきたさまざまな優遇措置を返還後も継続させるという法律です。

ここでもう一度確認しておきたいのですが、アメリカとしては、基本法で規定された一国二制度が50年間維持されるという大前提のもとでこの政策法をつくりました。だから、あくまでも、アメリカと香港が返還以前と同様の関係を続けていくためには、一国二制度を守ってもらわないと困るというのが、アメリカの立場です。

アメリカにおいては、香港は中国本土よりも優遇されてきました。

たとえば、中国には認めていないけれど、香港には認められている関税やヴィザ発給の優遇措置があります。

また、大使に関しては一応、名目上「中国大使」がいるので、「香港大使」というポストを置けないのですが、代わりに香港の総領事（外国の主要都市に駐在し、現地の自国民保護や通商促進などに努める領事のトップ）が大使級のポストに位置付けられました。中国本土の成都・廣州・上海・瀋陽（しんよう）に駐在する総領事は北京のアメリカ大使の部下ですが、香港の総領事はアメリカ本国の東アジア担当国務次官補に直属の人事です。

一方、香港側もアメリカに〝大使館〟を置けないのですが、中国とは別に「中国香港」名義でワシントンとニューヨークとサンフランシスコに「経済貿易代表部」という独自のオフィス（香港の経済・貿易面での利益推進や広報活動などを行う機関）を置くことが認められました。

ようするにアメリカは、あくまでも香港と中国を〝別の国〟として扱ってきたわけです。

そのことがよくわかる事例のひとつが、マネー・ロンダリングの問題です。

サミット参加国が1989年に設立して、1990年に発足したFATF（Financial Action Task Force の略。マネー・ロンダリングに関する金融活動作業部会）という国際組織があります。国際的に協力してマネー・ロンダリング（資金洗浄）対策をしていくためにつくられた組織です。このFATFに香港は英領時代の1991年に加盟しています。一方、中国が加盟したのは2007年です。

実は1991年から2007年までの期間は、香港とアメリカが共同歩調をとり、中国のマネー・ロンダリングを香港でウォッチして取り締まっていました。香港と中国が〝別の国〟だからこそできることですね。

また、香港でのマネー・ロンダリングの取り締まりは、当初は麻薬対策が中心でしたが、ブッシュJr政権が発足し、同時多発テロ事件が起きた2001年以降は対テロ資金の監視が重視されるようになります。

返還後の香港は、どんどん中国の政治的な影響力を受けるようになりましたが、アメリカにとってもテロ対策等で欠かせない存在になっていたこともあり、当初は良好な米香関係が続いていたのです。

「スノーデン事件」のインパクトと香港の奇妙な状況

繰り返しになりますが、１９４９年10月の中華人民共和国の建国以来、中国は西側諸国との窓口になる香港、そして、中国本土に比べて圧倒的に豊かな香港をあえてイギリス領のままにしておきました。そのほうが国外からおカネや情報を手に入れるのに都合がよかったからです。

前述したように、中国からしてみれば、英領香港を江戸時代の長崎の「出島」のようなかたちで利用し、そこに集まるおカネと情報の一部を確実に吸い上げることができれば、十分な〝実利〟が得られます。香港がイギリスの植民地であることで〝金の卵を産むガチョウ〟でいてくれるなら、何もわざわざ中国自身が直接支配する必要はない、というのが当時の中国共産党の基本方針でした。

この方針は香港返還後にも引き継がれ、当時の鄧小平政権は、香港という〝金の卵を産むガチョウ〟をある程度自由にして育てながら、徐々に中国色を強めていく戦略をとりました。

しかし、香港問題も含めて、その潮目が大きく変わる（少なくとも、世界的にはそう見られるようになる）きっかけになったのが、２０１２年の習近平（しゅうきんぺい）政権の誕生です。

そして、さらにその翌年、２０１３年６月には、米香関係にとっても非常に大きな出来事が起こります。

エドワード・スノーデン

いわゆる「スノーデン事件」です。

スノーデン事件とは、ＮＳＡ（米国家安全保障局）が行っていた機密情報収集活動の実態を、ＮＳＡの元契約職員でＣＩＡ（米中央情報局）の元局員でもあるエドワード・スノーデンがメディアに内部告発した事件です。

当時日本でも大々的に報道されたので、事件そのものを記憶している方は多いと思いますが、問題はスノーデンがそれを暴露した場所です。

２０１３年5月の時点で、スノーデンはハワイのＮＳＡのオフィスにいましたが、告発の根拠となる文書を複写したあと、病気を治療するという名目で香港へ渡航します。そして、尖沙咀（チムサーチョイ）（香港の九龍半島南端の商業地）のホテルにチェックインしたあと、6月6日に英紙『ガーディアン』のインタビューに答え、ＮＳＡが全世界を対象に行っていた、盗聴やインターネット傍受などによる情報収集活動の実態と手口を内部告発しました。

つまり、わざわざ香港に行ってＮＳＡの内情を暴露したわけです。

その際、スノーデンはＮＳＡが世界中で6万１０００件以上のハッキングをしていて、そのうち数百回以上は中国大陸と香港の政治、ビジネス、学術界を標的にしていたことや、香港の中文大学もターゲットのひとつで、中国へのハッキングは２００９年以降に活発化していることなどを明かしました。

もちろん、暴露情報のなかには、中国関連のものだけではなく、ロシアがらみのものや日本など同盟国に関するものもあったのですが、やはり中国関連の情報が流出したことのインパクトは大きかったわけです。

当然、アメリカは香港政府に対してスノーデンの身柄の引き渡しを要求します。

これに対して、香港政府は、アメリカ政府が要請する場合には、香港の法手続きに従って対処するとしました。

しかし、スノーデンの身柄引き渡しをアメリカに命じられたことに中国政府が反発。また、中国の息のかかった香港の親中派も反対しました。

そこまではまあ当然の流れだと言えますが、ややこしいことに、この件に関しては香港の民主派からも反対の声があがります。民主派が反対したのは「スノーデンはプライバシーや人権を侵害したアメリカの不正を暴いた人だから」という〝人権〟の観点からです。

その結果、当時香港では親中派の連中、民主派グループの双方がスノーデン引き渡し反対デモをするという奇妙な状況が生まれます。スノーデンとしては、こういう場所に逃げ込んでしまえば、アメリカも容易に手出しはできまいと踏んでいたのでしょう。

スノーデン事件が量子通信衛星を打ち上げさせた

その後、スノーデンは香港の滞在先ホテルを記者らに特定されたために、弁護士の案内で個人宅に移動しました。

その間、これは噂の域を出ないのですが、当時スノーデンはマカオに一時逃亡したという説があり、現地メディアによると人民解放軍によって護衛されていたとも言われています。つまり、この時点でスノーデンと中国共産党がつながっていたという噂は相当広く流布していたわけです。当然アメリカ側もスノーデンと中国共産党の関係をそのような目で見ていました。

そして、2013年6月23日、スノーデンは香港からモスクワに逃れます。

スノーデンの海外逃亡を防ぎたいアメリカは、彼のパスポートの失効手続きをしていたのですが、香港政府は手続きに不備があったとして失効扱いにしませんでした。これに関して香港当局は、アメリカ側がスノーデンのミドルネームの「ジョセフ（Joseph）」を「ジェームス（James）」だと間違えて伝えたため、確認作業に手間取ったと釈明します。無理のある言い訳ですが、ようするにスノーデンにこれ以上香港にいられると何かと〝面倒〟だから、早く国外に出て行ってほしかったわけです。

モスクワに渡った後のスノーデンについては割愛しますが、いずれにしても当時スノーデンは何らかのかたちで中国共産党と接触していただろうとみられています。

ところで、中国は２０１６年８月に世界初の量子通信衛星「墨子(ぼくし)号」を打ち上げて、盗聴不可能な通信システムをつくろうと動き出しました。これは実はスノーデン事件の影響だとも言われています。ちなみに、「墨子」とは、古代中国の春秋戦国時代に活躍したいわゆる諸子百家のひとりで、敵の攻撃から城を守る防衛技術のスペシャリストとしても有名だった人物です。習慣や主張をかたくなに守り通す「墨守」という言葉も墨子がよく城を守ったという故事に由来します。

雨傘運動から「逃亡犯条例」問題へ

スノーデン事件をきっかけに、オバマ政権末期のアメリカでは、香港に対して不信感を持つようになります。「今までマネー・ロンダリングの取り締まりでは協力してきたけれど、やっぱり香港政府には中国の息がかかっていて、信用はできないぞ」というわけです。

実際、香港に対する中国の統制が年々強化されるなか、民主化をめぐる動きも香港で広がっていきます。

２０１４年には、２０１７年の香港特別行政区行政長官選挙（当初の予定では普通選挙が導入されることになっていました）に関して、民主派候補を事実上排除する制度が導入されます。これに対して学生団体を中心とするいわゆる〝雨傘運動〟の抗議行動が展開されましたが、警察による強制排除を受けて失敗。さらに、2019年3月以降、中国本土への容疑者引き渡しを可能にする「逃亡犯条例」改正案の完全撤回を求めるデモが行われるようになり、6月4日の天安門事件30周年を境に、中国・香港両政府への抗議行動が一挙に拡大しました。

雨傘運動

ここで、「逃亡犯条例」問題についても簡単にまとめておきましょう。

香港では、英領時代の1992年に逃亡犯条例が制定されましたが、当時は「返還」を控えた過渡期であったこともあり、返還後も同条例は「司法制度、刑罰の制度、人権が十分守られる政府とのみ犯罪人引き渡しのできる関係を結ぶ」ことが前提になっていました。名指しこそしていませんが、共産党支配下の中国本土の司法制度を信用していなかったわけです。

このため、現実に殺人事件など重大犯罪の容疑者が中国から香港に逃げ込んできたような場合には、あくまでも個別の事件として判断し、香港の警察は容疑者を香港から退去させ（建前としては、香港当局が中国側に容疑者の身柄を引き渡すことはない）、容疑者が中国本土に入った時点で中国の公安警察が逮捕するという手順がとられてきました。当然のことながら、香港に対する支配を強化したい中国としては、香港に滞在している「犯罪者（中国の認識では、香港で活動している反中国の活動家を含む）」の身柄を中国に引き渡せるように、逃亡犯条例を改正せよと、香港政府に要求していました。

こうした状況のもと、制度の不備が顕在化する事件が発生します。

２０１８年2月17日、香港人の学生カップル、陳同佳（男性）と潘暁穎（女性）が台湾を旅行中、陳が潘を絞殺して台北捷運（ＭＲＴ）竹圍駅近くの草むらに死体を遺棄。その後、陳は一人で香港に帰り、潘のキャッシュカードで金を下ろしていましたが、被害者と連絡のとれなくなった親族が香港の警察に通報したことで事件が発覚。３月、陳はとりあえずキャッシュカードを使った窃盗の容疑で逮捕され、取り調べの結果、潘暁穎の殺人を自供します。

通常であれば、この時差で香港当局は台湾当局に陳の身柄を引き渡すのですが、ここで厄介な問題が発生します。すなわち、中国の建前では、台湾は「中華人民共和国の不可分の領土」とされており、中国香港政府も同じ立場をとっています。このため、法律上は、香港当局は陳の身柄を台湾ではなく中国に引き渡さなければなりません。そこで、香港当局としては、香港と「中国のその他の部分（＝台湾）」との間の犯罪人引き渡しが可能になるように、逃亡犯条例を改正する必要があります。

このため、香港議会では、野党が陳の一件にのみ適用できるよう、逃亡犯条例の時限的な改正を提案しましたが、香港行政長官の林鄭月娥（りんていげつが）は、時限的改正を拒否し、逃亡犯条例および刑事相互法的援助条例を全面的に改正する方針を発表します。

この法案が、原案通りに可決されると、香港で中国に対して批判的な活動を行っている人権活動家などが、中国の国内法に触れる「犯罪者」として否応なしに中国本土に移送されてしまう（その結果、中国の裁判で最悪の場合には死刑判決が出る）可能性が出てきたのです。そこで大規模な反対運動が発生したというわけです。

さて、香港での逃亡犯条例反対運動の盛り上がりを受けて、アメリカでは6月13日に共和党のクリス・スミス議員が、香港の「一国二制度」が守られているかどうか毎年検証することを義務付ける「2019年香港人権・民主主義法案」を下院に提出。同日、共和党のマルコ・ルビオ議員が同じ内容の法案を上院に提出します。その内容を要約すると、

・1992年の米国-香港政策法で定められた原則を再確認する。そして、香港における民主主義、人権および十分に自立していることの重要性をもって、アメリカの法律のもとに中華

人民共和国本国とは違った待遇を受けるものとすることを含む。

・制定後90日以内および2023年までの毎年、香港におけるアメリカの利益に関する条件についての報告書を国務長官が発行することとする。この報告書には香港の民主的制度についての動向を含むものとする。

・香港について中華人民共和国と異なる扱いをする新しい法律、協定を制定する前に、国務省は香港が十分に自立していることを確認する。

・大統領は香港の特定の書店、ジャーナリストに対して監視、拉致、拘禁、強制告白を行った責任者を明らかにする。また基本的自由を抑圧したりするなどの行動については、その者のアメリカ合衆国における資産を凍結し、その者のアメリカへの参入を拒否する。

・2014年に香港に居住したビザ申請者は、香港の選挙に関する非暴力的な抗議活動に参加したとして逮捕されたり、拘留されたり、その他の不利となる政府の措置を受けたことがあっても、それを理由にビザを拒否されることがないものとする。

この法案が議会を通るわけですが、そのポイントは「1992年の米国-香港政策法で定められた原則を再確認」したうえで、「香港における民主主義、人権および十分に自立していることの重要性をもって、アメリカの法律をもとに中華人民共和国本国とは違った対応を受けるものとする」という点です。

簡単に言ってしまうと、香港は「一国二制度（で中国本土とは事実上別の国）」という建前がちゃんと守られているという前提で、中国にはない特権を与えているのだから、その前提が守られていなければ、中国本土と同じように扱いますよ、ということです。

それから「制定後90日以内および2023年までの毎年、香港におけるアメリカの利益に関する条件についての報告書を国務長官が発行する」、「この報告書には香港の民主的制度についての動向を含むものとする」の2点。これは、米香関係の基本である一国二制度が守られているかどうか、国務省がモニタリングして議会に報告しなさいということで、「香港について中華人民共和国と異なる扱いをする新しい法律、協定を制定する前に、国務省は香港が十分に自立していることを確認する」と念押ししています。モニタリングの結果、北京の影響が強ければだめですよということです。

もうひとつ補足しておくと、「大統領は香港の特定の書店、ジャーナリストに対して監視、拉致、拘禁、強制告白を行った責任者を明らかにする。また基本的自由を抑圧したりするなどの行動については、その者のアメリカ合衆国における資産を凍結し、その者のアメリカへの参入を拒否する」とあるなかの「香港の特定の書店」とは、香港の銅鑼湾（どらわん）で中国政府に批判的な書籍を販売していた銅鑼湾書店のことを指しています。銅鑼湾書店は2015年に経営者ら5

人が中国の治安当局に拘束され、閉店に追い込まれました。

さらに興味深いのが、「２０１４年に香港に居住したビザ申請者は、香港の選挙に関する非暴力的な抗議活動に参加したとして逮捕されたり、拘留されたり、その他の不利となる政府の措置を受けたことがあっても、それを理由にビザを拒否されることがないものとする」という点です。この２０１４年というのは雨傘運動が起きた年です。つまり、２０１４年に香港で雨傘運動に参加して逮捕された人でもアメリカのビザを申請する権利を認めろということです。

雨傘運動も、当時の行政長官選挙で政府側が民主化候補を排除したことが発端なので、つまりは一国二制度が骨抜きになったことへの抗議運動です。雨傘運動のときも中国は一国二制度を守らなかったから、それに抗議した人たちには正当な権利が与えられるべきだ、というのが香港人権・民主主義法案の基本的な考えです。

さて、この法案が11月に上下両院で可決されると、同時に催涙ガス、催涙スプレー、ゴム弾、スタンガンなどの相手を殺さない武器を香港警察に輸出することを禁止する法案も可決されました。「香港デモの弾圧に、アメリカ人は協力してはいけない」ということです。

トランプ大統領はこれらの法案に署名して法律を成立させる際、「私は習近平国家主席（党総書記）と中国、香港市民に敬意を表して法案に署名した。中国と香港の指導者や代表者が対立を友好的に解消し、長期的な平和と繁栄をもたらすよう期待する」というメッセージを出し、民主化を支援する姿勢を明確に示しました。

こうして、アメリカはいつでも一国二制度問題で中国を締め上げられるという準備が、ともかくも2019年末の時点で法律上は整ったわけです。

「一国二制度」を完全に骨抜きにした2020年の全人代

ところが2020年に入ると、新型コロナウイルス騒動で世界の関心が「香港」から離れてしまいました。すると、中国政府はその隙をついて、香港の民主派の弾圧を本格化します。まず同年3月末には、コロナウイルスの感染拡大防止を名目に、公共の場所で5人以上の集会が禁止されました（5月になると9人以上に緩和）。

そして、4月18日には民主派のリーダーら15人が香港警察に一斉逮捕されるという事件が起こります。

さらに、5月28日の全国人民代表大会（全人代）では、中国政府が〝反体制的〟とみなした人物や言動を取り締まることができる「国家安全法制」を香港にも導入する方針が採択されました。これにより、香港でも中国本土と同じように反体制活動の取り締まりをできるようにしようとしたわけです。

もともと香港特別行政区基本法の第23条では、一国二制度の原則に基づき、国家の分裂や政権転覆の動きを禁じる法律をつくらなければいけないと規定されています。

しかし、それは中国政府がつくるのではなく「香港政府が自ら制定しなければならない」とされているわけです。

どんな国であろうが、どんな地域だろうが、やはり国家転覆罪（てんぷくざい）のような法律は防御措置として必要です。ただし、それは中国政府ではなく香港政府がつくらないといけない、というのが一国二制度の原則であり、建前でした。

とはいえ、この類の治安法は中国の統制強化につながる恐れがあるということで、香港市民は根強く反対してきました。２００３年には50万人規模の反対デモが起きるなど、これまでは中国政府も強引に制定するわけにはいかない状況が続いていました。

それをすべてひっくり返したのがこの２０２０年の全人代です。

全人代の決定は、中国政府が香港の治安維持に責任を持ち、立法権限を持つ点を明確にしたうえで、香港政府に治安法の〝早期の立法化〟を求めるというものでした。

ただし、要求はするけれども、実際の立法作業は全人代の常務委員会が行い、香港政府は、法の制定後に公布・即日施行するとして、その手続きも決まっていました。この間、「国家安全法制」について、香港立法会（議会）が審議を行う機会は与えられていません。

これは「香港の議会が何かをすることはできない」ということですから、一国二制度が完全に骨抜きにされたことを意味します。

この中国の動きに対し、国際社会は全人代で採決が行われる以前から、国家安全法制導入の方針を「中国政府が香港の直接統治に乗り出し、一国二制度の原則を踏みにじるもの」として懸念を示していました。

採決前日の5月27日には、アメリカのポンペオ国務長官が「一国二制度に基づく香港の〝高度な自治〟が維持されていない」ことを議会に報告したうえで、国家安全法制は「香港の自治と自由を根本的に損なっている」と批判しています。

また、同日、米国連代表部も声明を発表し、国家安全法制をめぐる動きについて「香港の高度な自治を根本的に損なうものだ」と懸念を表明しました。

ようするにアメリカが香港に優遇措置を与えていた前提が、これまでは建前として辛うじて残っていたけれど、その建前さえも崩れてしまったので、アメリカも黙っているわけにはいかないというわけです。

このほか、イギリス、オーストラリア、カナダも共同声明を発表し、「香港の人々の自由を取り上げ、香港の自治を著しく侵食することになる」と懸念を表明します。

イギリスのボリス・ジョンソン首相は、旧宗主国として一国二制度の維持を求める立場から、中国が国家安全法制を施行した場合、英国は移民規則を変更し、香港人数百万人に対して「英市民権を獲得する道」を開く方針を明らかにしました。

しかし、結局、６月30日、中国の全人代常務委員会は、香港に導入する「香港国家安全維持法」を全会一致で可決・成立。これを受けて、習近平が同法を公布し、香港政府は同日23時（日本時間７月１日午前０時）に施行してしまいます。

アメリカは香港の「うまみ」を捨てられるのか

一方、香港側は全人代での採決が行われるひと月前の５月29日、香港政府の陳茂波財政官が「アメリカの経済制裁に対応するため準備している」と強気な態度に出ました。「アメリカに輸出する香港の製品は製造業全体の２％で影響は比較的小さい。ハイテク製品などの輸入で影響を受けるが、欧州や日本から代替品を輸入することで対応可能だ」と主張したわけです。おそらくそうとでも言わないと北京（中国共産党）に怒られるからでしょう。

ところが現実問題として、香港はこれまで中継貿易で利益を上げてきました。香港の対米輸出の大半は中国などからの再輸出です。中国からダイレクトにモノを送ると関税その他が面倒なので、一度香港に輸出して、香港からその中国製品をアメリカに移していました。

結局のところ、そのやり方がかなりの制約を受けるとなると、香港の中継貿易港としての価値が低下して、中国は大きな打撃を受けることになります。加えて、中国の支配が強まるとなれば、当然香港市民は嫌がりますから、資金や人材も流出してしまいます。

そのため、「国際金融センターとしての地位も危うくなるぞ」という懸念から香港株が一時大幅に下がりましたが、当時中国本土からものすごい資金が流れてきて買い支えられ、なんとか持ち直しました（なかには割安感から香港株を〝買い〟だと判断した投機筋も当然いたと思いますが）。

一方、アメリカ側から見ると、香港人権法を適用して中国封じ込めをやるべき状況なのですが、現実問題として香港にはアメリカ企業のオフィスが1300以上あると言われています。また、貿易面で見ると、実はアメリカにとって香港は世界最大の貿易黒字（2018年度で311億米ドル）を生み出す相手でもあります。

ということは当然の流れとして、「それを簡単に捨ててしまっていいのか？」という話が出てきます。それを人権問題とどう折り合いをつけていくのか、ということがアメリカにとって頭の痛い問題となっているわけです。

ちなみに、2020年7月に香港国家安全維持法（国安法）が成立すると、早くも8月には香港警察が、著名な民主活動家の周庭氏や、民主派の香港紙「蘋果日報（ひんかにっぽう）」などを発行するメディアグループの創業者、黎智英（れいちえい）氏や同紙幹部らを同法違反容疑で逮捕するなど、大統領選挙で身動きのとれないアメリカの足元を見るかのような強気の姿勢をとっています。

ウイグル問題とリンクする香港問題

ところで、この香港問題と連動してちょっと面白いのが、５月28日の全人代の前日、つまりポンペオが懸念を示したのと同じ5月27日に起きた出来事です。

実はこの日、中国・新疆（しんきょう）ウイグル自治区のイスラム系少数民族ウイグル族らへの人権弾圧に関与した中国政府高官らに制裁を科す「ウイグル人権法案」がアメリカ議会を通過しています。

ウイグル人権法案の中身は、まずウイグルの弾圧・人権侵害に加わった人間のリストを180日以内に作成して議会に報告し、次にそれらの人物を対象にビザの発給停止や資産凍結などの制裁を科す、というものです。

ここで少し、ウイグル問題についてもおさらいしておきましょう。

現在の新疆ウイグル自治区に相当する東トルキスタンの地域は18世紀に清朝の支配下に置

1944年から1949年にかけて存在した(第2次)東トルキスタン共和国の実効支配地域

かれますが、その後も、必ずしも中国中央の統制が及ばない地域になっており、1944年には、ごく短期間ですが、中国からの独立を宣言した地方政権として、東トルキスタン共和国が存在していました。

1949年、国共内戦の帰趨がほぼ明らかになるなかで、中国共産党は東トルキスタンに鄧力群を派遣し、イリ政府との交渉を開始。毛沢東はイリ政府首脳陣を北京の政治協商会議に招きましたが、8月27日、北京行きの飛行機に乗った3地域首脳11人は、そのままソ連領内アルマトイに連行・殺害され、東トルキスタン政府は事実上消滅。残されたイリ政府幹部のセイプディン・エズィズィは、陸路で北京へ赴き、政治協商会議に参加して共産党への服属を表明せざるをえなくなりました。また、９月26日にはブルハン・シャヒディら新疆省政府幹部も共産党政府への服属を表明しています。

これを受けて、１９４９年末までに中国人民解放軍が新疆全域に展開し、東トルキスタンは完全に中華人民共和国に統合され、１９５５年には現在の新疆ウイグル自治区が設置されました。

現在、東トルキスタンはチベットと並んで、中国にとって最も深刻な〝民族問題〟のひとつとなっており、中国共産党政府による人権侵害の象徴的な存在となっています。

特に２０１９年11月16日付の米紙『ＮＹタイムズ』（電子版）は、これまで非公開だった習近平の演説の内容や、ウイグル人に対する監視・支配について報告した文書（総計４０３ページ）の存在を報道し、全世界に大きな衝撃を与えました。中国政界関係者の内部告発による記事ですが、リークした人物の動機は、習近平を含む政権指導部がウイグル弾圧の責任から逃れるのを阻止したかったからだそうです。

記事で紹介された内部告発の内容を少し見てみましょう。

２０１４年、雲南省・昆明（こんめい）駅で刃物を持った集団が通行人らを襲撃する無差別殺傷事件（31人死亡、１３０人以上負傷）が発生した際、中国公安当局は容疑者４人を射殺し、１人を拘束したうえで、「新疆分裂勢力による計画的かつ組織的な重大暴力テロ事件」だと断定しました。

内部告発文書では、この事件の直後に習近平が当局者に向けた秘密演説で「独裁の仕組み」を活用して「テロリズム、侵入、分離独立」に対する「情け容赦は無用」の全面闘争を指示していたことが明らかになりました。

また、新疆ウイグル自治区の収容施設の数は２０１６年に陳全国という強硬派の人物が現地担当者（新疆ウイグル自治区党委書記）に就任して以降、急増しています。内部告発文書によると、陳全国は弾圧を正当化するために習近平が２０１４年に行った演説の内容を自治区当局者に配布し、「拘束すべき者たちを一網打尽にせよ」と督励していたそうです。

ちなみに、２０１９年11月12日、米ワシントンを拠点とする「東トルキスタン国民覚醒運動（ＥＴＮＡＭ）」は、グーグルアースにより、ウイグル人が自らの文化を捨てるよう圧力をかけられている強制収容所　１８２カ所、刑務所とみられる施設２０９カ所、労働収容所とみられる施設74カ所を特定したと発表しました。収容者数は、これまで言われてきた約１００万人よりもはるかに多い可能性があるとも指摘されています。

余談ですが、第二次世界大戦中、ナチス・ドイツの最大勢力範囲は、面積にして３６０万平方キロで、そこに「強制収容所」と認定されている施設が約50カ所ありました（ただし、戦時下のごく小規模なローカル施設を入れると数万に及ぶとの報告もあります）。現在の新疆ウイグル自治区の面積はその半分以下の１６６万平方キロであるにもかかわらず、ウイグル人の収容施設数は４５０カ所以上で、ナチスの10倍近くにも及んでいます。こうしたデータをもとに、中国による人権侵害はナチスをもしのぐものとして、欧米では「チャイナ（China）＋ナチス（Nazis）」の造語で「チャイナチ（Chinazi）」という単語さえ使われているほどです。

「ウイグル人権法」成立で習近平への直接制裁も可能に!?

２０１９年2月9日、ウイグル人の著名な民謡歌手でドタール演奏家のアブドゥレヒム・ヘイット氏が「再教育キャンプ」で拘束中に死亡したことをきっかけに、在外ウイグル人の間で自分の身内に安否不明者がいることをＳＮＳ上で呼びかける「#Me Too 運動」が拡大しました。

『ＮＹタイムズ』が報じた内部告発文書によると、中国側がそうした行方不明者家族からの問い合わせに対応する〝想定問答集〟も作成していたことが明らかになっています。

たとえば当局者はその種の問い合わせに対して「あなたの家族は〝過激思想ウイルス〟に感染したため、病が深刻化しないうちに治療が必要だ」と応じるよう指導されていたそうです。

この『ＮＹタイムズ』の記事が世界に発信されると、当然のことながら、国際世論の大半は中国のウイグル政策と人権侵害を激しく非難しました。

米下院は２０１９年12月３日、ウイグルでの人権侵害に関与した中国政府や共産党の関係者に制裁を科したり、同自治区の政府機関に向けた米国製品の輸出を禁止したりする措置をとるよう米国政府に勧告する「ウイグル人権法」を圧倒的多数で可決します。

そして前述の通り、習近平政権による香港への抑圧が続くなか、2020年5月28日、全人代が国際世論の反対を押し切って、香港の一国二制度を骨抜きにする「国家安全法制」の導入方針を採択すると、同日（米国時間では27日）、米議会はウイグル人権法案を通過させ、中国との対決姿勢を明らかにしました。

香港の弾圧に関しては、習近平の指示があったとする証拠を示すのは難しいのですが、ウイグルに関しては、仮に中国側が捏造だと訴えても、アメリカ側にはある程度の証拠や証言が用意できています。

つまり、ウイグル人権法を本格的に発動させると、それらの証拠をもとに中国への制裁に踏み切ることができるわけです。

ウイグル人権法は、2020年6月17日、トランプ大統領の署名によって成立しました。これにより、アメリカ政府は、成立後180日以内に、新疆ウイグル自治区内のウイグル人および他のイスラム系少数民族への拷問、訴追や裁判なしの拘束延長、拉致や非人道的な処遇などの行為に加わった中国政府当局者やすべての個人を特定し、議会に報告書を提出することが規定され、その後、リストに挙げられた人物は、資産凍結、入国査証の取り消しや米入国への禁止などの制裁が科されることになっています。その対象を最も広くとると、習近平も制裁対象となる可能性が出てくるわけです。

ナイキが〝人権派〟CMで見せたダブルスタンダード

さらに、アメリカ政府は２０２０年９月８日、新疆ウイグル自治区産の綿花とトマト製品について、強制労働の疑いがあるとして輸入禁止措置をとる方針を明らかにしました。

この禁輸措置では、農産物としての綿花とトマトだけでなく、新疆ウイグル自治区から輸出される織物、衣料品を含む綿製品の供給網全体やトマトペーストなどが「違反商品保留命令」の対象となり、米税関・国境警備局（ＣＢＯ）は強制労働の疑いがある商品の輸入を停止することが可能になります。

ちなみに、禁輸対象の原材料を用いている企業としては、米大手企業のコカ・コーラやナイキ、アップルを筆頭に、日本企業では、無印良品（ＭＵＪＩ）とユニクロなどの名前が挙げられており、これまでも国際社会から問題視されてきました。

特にナイキやコカ・コーラ、アップルが、２０２０年９月に米下院を通過した「ウイグル強制労働防止法案（ウイグル人を強制的に働かせているとみられる中国企業の工場からの製品輸入を、米企業に禁止することをうたっている)」に関して、法律発効時の効果が弱まるように条文を修正しようとするロビー活動(議員への働きかけ)を展開していたことが明らかになり、世界に衝撃を与えました。

時あたかも、ナイキは、日本国内では、「在日コリアンを含む外国人差別が横行しており、陰湿な差別を受けた少女がスポーツの力で人間の尊厳を取り戻す」という内容のCMを流し、自分たちが「人権派」であることを強調していました。

日本にも一部で外国人差別があることは否定しませんが、ナイキの露骨な〝ダブルスタンダード〟は、自分たちの人権侵害(への加担)に対する非難の矛先を日本に向けさせるための卑劣なプロパガンダではないか。少なくとも、チャイナチにおもねり、ウイグル人の膏血(こうけつ)を絞り取って莫大な利益を上げている企業に「人権」について説教などされたくない――多くの日本人がそのように感じて怒り心頭に発したことは記憶に新しいところです。

アメリカの「暴動」を煽る中国

話を少し戻しますが、実際にアメリカが習近平を制裁対象に加えるかどうかは別として、全人代の前日に「ウイグル人権法案」を通すことで、トランプ政権は中国との対決姿勢を明らかにしました。

当然これに対して、中国側は「内政干渉だ！」と騒ぐなど、オーソドックスな反論を展開します。また同時に、ちょうどこの頃、アメリカ国内で暴動騒ぎになっていたミネソタ州ミネアポリスの問題をネタに巻き返しをはかったかと思われます。

ここで言う「ミネアポリスの問題」とは、２０２０年5月25日、黒人男性ジョージ・フロイドが詐欺容疑で白人警官に拘束された際、膝で首を押さえつけられたことが原因で死亡した事件のことです。あの事件をめぐって、全米に抗議行動が拡大して暴動にエスカレートし、過激化したことは日本でも大々的に報道されていましたね。

つまり、中国はそこに手を突っ込んで暴動を煽っていくわけですが、別に中国の工作員が直接アメリカに行ってどうこうしなくても、いくらでも手はあります。

たとえば5月29日にはアフリカ連合（ＡＵ）のムーサ・ファキ委員長（チャド共和国の政治家）が声明を発表し、アメリカの白人警官による黒人男性暴行死を強く非難したうえで、アメリカ政府に「人種や民族に基づくあらゆる差別の根絶のために、さらに努力してほしい」と演説しました。

アフリカ連合はエチオピアのアディスアベバに本部があります。

エチオピアといえば新型コロナウイルスへの対応の問題で一躍時の人となったＷＨＯ（世界

保健機関）事務局長テドロス・アダノムの祖国であり、中国の息がかかっている国です。

もちろん、これだけでは効果としては〝弱い〟のですが、当時中国はこうしていろいろなかたちでアメリカの「ミネアポリスの問題」の暴動を煽っていました。それにたとえば前章で見たアンティファのような人たちが乗っかってくると、彼らを支援してさらに暴動を煽ります。そういうかたちでアメリカの足元が揺らいでくれれば、当然中国への制裁も鈍らざるをえないだろうと考え、実際に動いていたわけです。

ようするに、アメリカが人権問題で中国を責めようとしても「いやいや、人種差別や人権問題で暴動とか起きているアメリカが中国のことをどうこう言えないよね」という〝おまいう（お前が言うな）〟状態に持っていきたかったということですね。

ムーサ・ファキ・マハマト

テドロス・アダノム

バイデンの宥和路線を牽制するトランプ政権の置き土産

２０２１年1月20日に発足したばかりのバイデン政府の対中政策や対香港政策が今後どのようになるのか、現時点では確定的なことは何も言えません。

ただ、確実に言えることとして、バイデン政権は対外政策の面でヨーロッパとの連携を重視し、結果的にアジア太平洋地域への関心は低下するだろうと見られています。

たとえば大統領選挙中のテレビ討論会で、「アメリカにとって最大の脅威となる国はどこか?」という質問に対し、トランプがチャイナと即答したのに対して、バイデンは少し呼吸を置いてロシアと答えています。つまり、バイデンは〝ロシアが最大の脅威〟という世界認識をＥＵ諸国と共有しているわけです。

また、トランプは環境規制の「パリ協定」から離脱しましたが、バイデンは大統領就任後、最初の仕事としてパリ協定に復帰し、ＥＵ諸国と足並みをそろえた脱炭素路線をとることを明言しています。

さらに、現時点で明らかになっているバイデン政権の外交・安全保障チームの顔ぶれを見ていると、国務長官のアントニー・ブリンケンをはじめ、オバマ政権時代のイラン核合意や中東政策に関わっていたスタッフが中心で、東アジアの専門家はほとんどいません。

当初、国防長官就任が有力視されていたミシェル・フロノイは、中国抑止論者（72時間以内に中国の全艦船を沈める能力を持つことで、中国に無謀な行動をさせないようにする）でしたが、実際に指名されたのは、黒人初の国防長官として、イラク戦争、アフガン戦争、イスラム国との対テロ戦争で活躍し、最終的にアメリカ中央軍（中東全域および中央アジアの一部の国々を担当）司令官で退役したロイド・オースティンでした。

もちろん、トランプ政権時代には、対中包囲網を形成するための法制度や関連の防衛予算が拡大してきたという経緯がありますから、それらをいきなり反故（ほご）にするのは不可能です。ある程度、トランプ時代の対中強硬路線が維持されることにはなるでしょう。

また、香港やウイグルの人権問題や宗教弾圧については、トランプ時代を通じて、かなりアメリカ国民の間でも危機感が高まっています。

大統領選挙後の2020年12月には、アメリカ国内の混乱の隙をつくかたちで、香港政府は前年の「逃亡犯条例」改正案などをめぐる抗議活動に関して、民主活動家の黄之鋒（ジョシュアウォン）氏と林朗彦（アイバンラム）氏に禁錮1年1カ月半、周庭氏に禁錮10カ月の実刑判決を言い渡しました。

さらに、香港政府は、すでに有罪判決を受けた民主活動家に対しても、あらためて香港国家安全維持法違反（外国勢力と結託した疑い）で起訴し、有罪（最高刑は無期懲役）に持ち込むための準備を進めていると言われています。

特にそのターゲットの一人とされている「蘋果日報」の黎智英氏は、２０１９年7月、アメリカでペンス副大統領、ポンペオ国務長官らと直接面会し、香港民主派への支援を要請するなど、アメリカでの知名度も高い人物です。

その彼が裁判で有罪になり、重い刑が科せられることになれば、アメリカとしても面子を潰されることになります。

周庭

黄之鋒

左派リベラル派は「人権」を重視する立場から、保守派は自由を至上の価値とし、国家の誇りを重視する立場から、いずれも声をあげることになるでしょうから、バイデンもそれを無視して〝親中路線〟をとることはできません。少なくとも、〝親中〟とみられることのないように振る舞う必要はあるわけです。

ただし、それでも、バイデンはトランプ政権の政策を全面的に見直すと公約しています。彼自身の関心もヨー

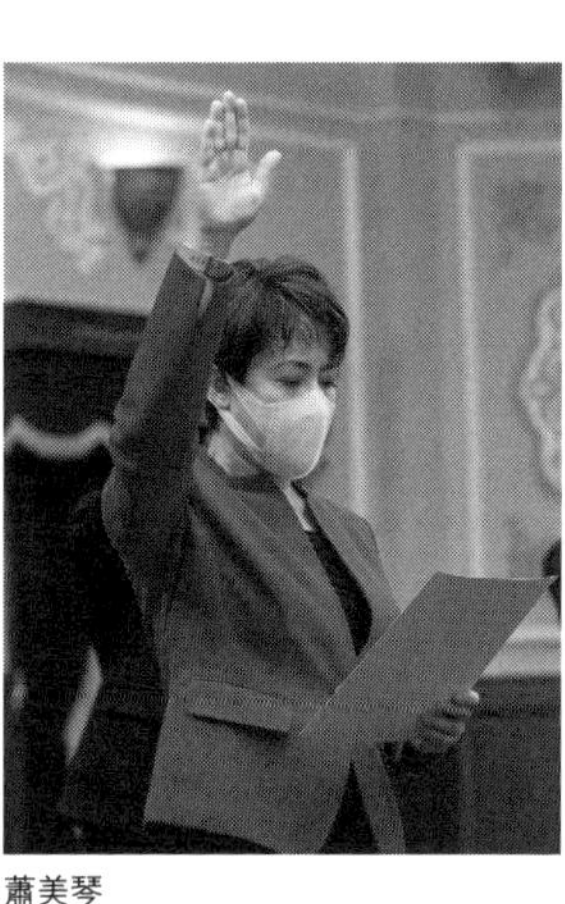
蕭美琴

ロッパに向いている以上、アジア太平洋地域への関心は相対的に低下せざるをえません。

このため、トランプ政権は、新たに発足するバイデン政権が対中政策を大幅に変更し、宥和路線に転換することを警戒して、大統領選挙後の2020年12月21日、「香港人権法」、「ウイグル人権法」に続き、チベットでの人権弾圧を批判し、人権や信教の自由を擁護する法案「チベット人権法案」を成立させただけでなく、政権最終日の2021年1月19日には、ポンペオ国務長官が声明を発表して、中国政府は共産党の指示のもと、ウイグル族などムスリムの少数民族に対して、強制収容などで100万人以上の自由を奪ったほか、強制労働を課したり信教の自由を制限したりするなどしたと指摘。「民族的、宗教的マイノリティーを強制的に同化させ、最終的に消滅させようとしている」のはジェノサイド（大量虐殺）であると認定しています。

これに対して、ブリンケン国務長官は、同日（19日）の公聴会で、「ポンペオ氏が発表したジェノサイドとの認定に同意するか」と問われた際、「イエス」と明確に回答。さらに、1月20日の大統領就任式では、1979年にアメリカが台湾と断交してから初めて、駐米台北経済文化代表処代表（台湾の駐米大使に相当）の蕭美琴が正式に招待されて出席しています。

さらに、バイデンの息子、ハンター・バイデンはロシア、ウクライナ、中国との不明朗なビジネスで巨額の利益を得た疑惑が指摘されており、バイデン本人も中国に対して〝甘い〟とみられることは、信頼を大きく損ねるリスクがあります。

したがって、当面、バイデン政権がトランプ政権時代の対中強硬路線を撤回し、いきなり、対中宥和路線に転じる可能性は低いのではないかと思われます。

ただし、バイデン政権が対中強硬路線を維持する第一の動機が「人権」である場合には、中国側も、日本の靖国問題や慰安婦問題、インドの人権問題などを持ち出して、批判の矛先を逸らそうとするのは必至で、バイデン政権がそれに引きずられて、親中とまではいえないにせよ、当初のトーンからかなり後退することも十分にありえます。

いずれにせよ、バイデン政権がどのような政策をとろうとも、我々は、日本のすぐ隣に香港市民の人権を侵害している国が存在しているという厳然たる事実を認識し、自らその脅威に備える努力が必要であることには変わりはありません。

第3章

【中東を読む】日本人のためのイスラエルと湾岸諸国入門

日本人があまり知らない〝四半世紀ぶり〟の大事件とは？

2020年8月13日、UAE（アラブ首長国連邦）とイスラエルが国交を樹立したのを皮切りに、9月11日には同じく湾岸首長国のバハレーンが、10月23日にはスーダンが、12月12日にはモロッコがそれぞれ、イスラエルとの関係を正常化しました。

一般的に中東情勢にあまり馴染みのない日本人からすると、この出来事が〝大事件〟であることをなかなかイメージしにくいかもしれません。

アラブには「アラブ連盟」というアラブ諸国の国際組織があります（1945年創設。本部はエジプトのカイロ。21カ国とパレスチナが加盟）。

アラブ連盟は「イスラエルを承認せず、交渉せず、和平せず」という対イスラエル政策の三不政策を基本原則としていました。

本来この原則はかなり強固なものです。

1979年の「キャンプ・デービッド合意」というエジプト・イスラエル間の和平が成立した際には、エジプトが単独講和でこの原則を破ったという理由で連盟を追放され、連盟の本部もカイロからチュニジアのチュニスに移転されています（ただし、エジプトは1990年に連盟に復帰し、本部もカイロに戻りました）。

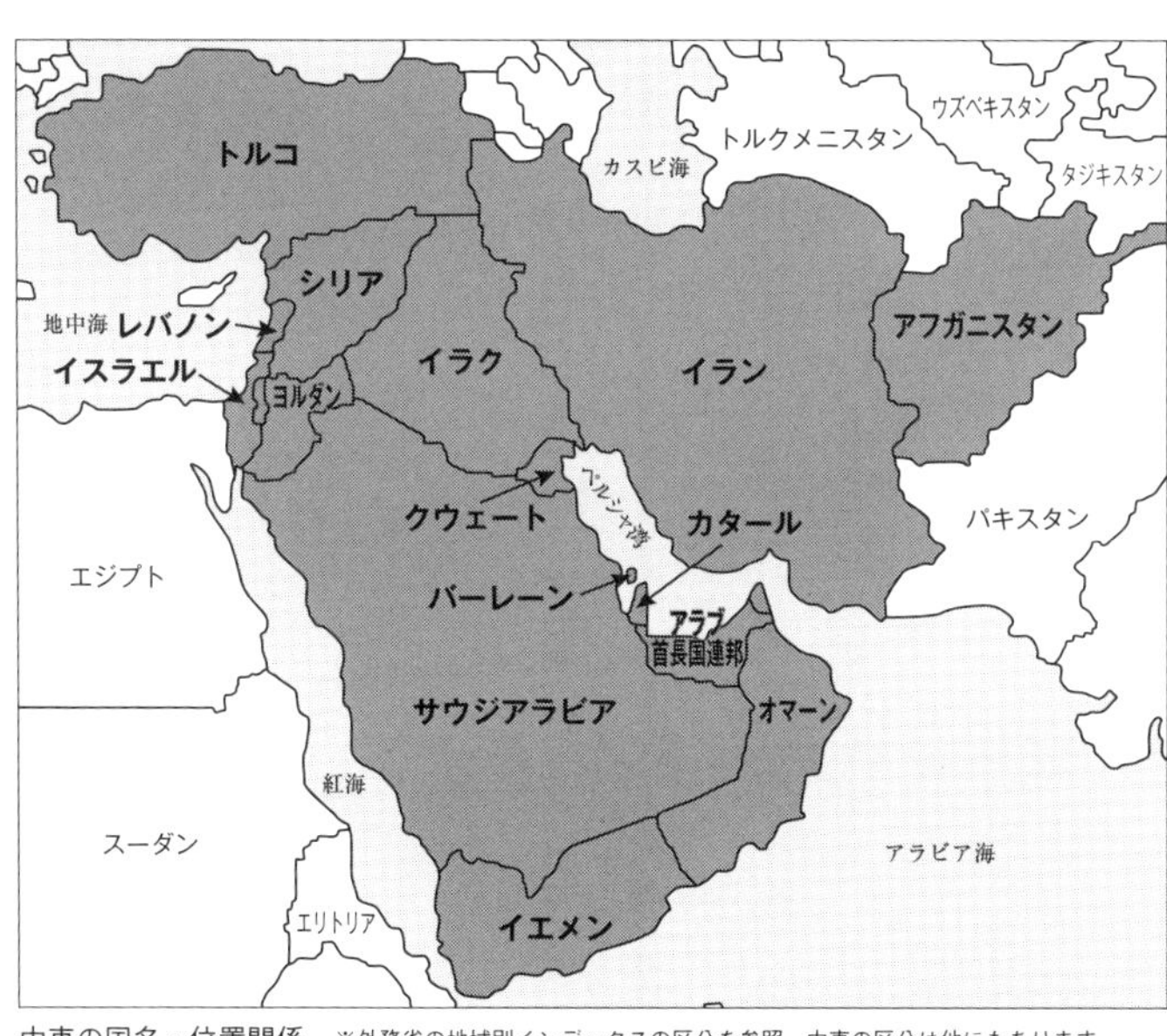

中東の国名・位置関係　※外務省の地域別インデックスの区分を参照。中東の区分は他にもあります。

１９９３年にいわゆる「オスロ合意」が成立し、パレスチナの暫定自治が始まると、翌１９９４年、実務上の必要もあって、隣接するヨルダンがイスラエルと関係正常化をしました。しかし、その後、25年以上、イスラエルと国交を樹立する３カ国目のアラブ国家は出てきませんでした。

なので、今回一挙に４カ国がイスラエルとの関係正常化に踏み切ったというのは、相当大きな出来事なのです。

それだけに、日本でもこのニュースは大々的に報じられましたが、主に、トランプ政権の対イスラエル政策の文脈、特に２０２０年の大統領選挙をにらんでのユダヤ系やいわゆる福音派などの宗教保守勢力との関係で説明されることが多く、当事者のUAEなりバハレーンなりの事情が深掘りされることはあまりなかったように思います（ただし、トランプに巨額の政治献金を行っている〝メガ・ドナー〟のなかにユダヤ系の資本家がいることは事実ですが、アメリカのユダヤ系は民主党の強固な支持基盤です。毎回、70％以上が民主党候補に投票しています）。

そこで、ここでは、UAEとバハレーンから見た対イスラエル関係の正常化について、考えてみたいと思います。

石油発見以前の湾岸諸国は海賊生活⁉

まずは、そもそもUAEというのはどういう国か、というところから始めましょう。

UAEは、「アラブ首長国連邦」という名の通り、ペルシャ湾の入口、ホルムズ海峡からちょっと入ったところにある湾岸首長国が集まってつくられた連邦国家です。

連邦の結成は1971年のことで、それ以前は、現在連邦を構成している7つの首長国（アブダビ、ドバイ、シャールジャ、ラアス・アル＝ハイマ、フジャイラ、ウンム・アル＝キワイン、アジュマーン）は、政治的には別個の存在でした。国土の80％以上を占めるアブダビのアブダビ市がUAEの首都に定められています。

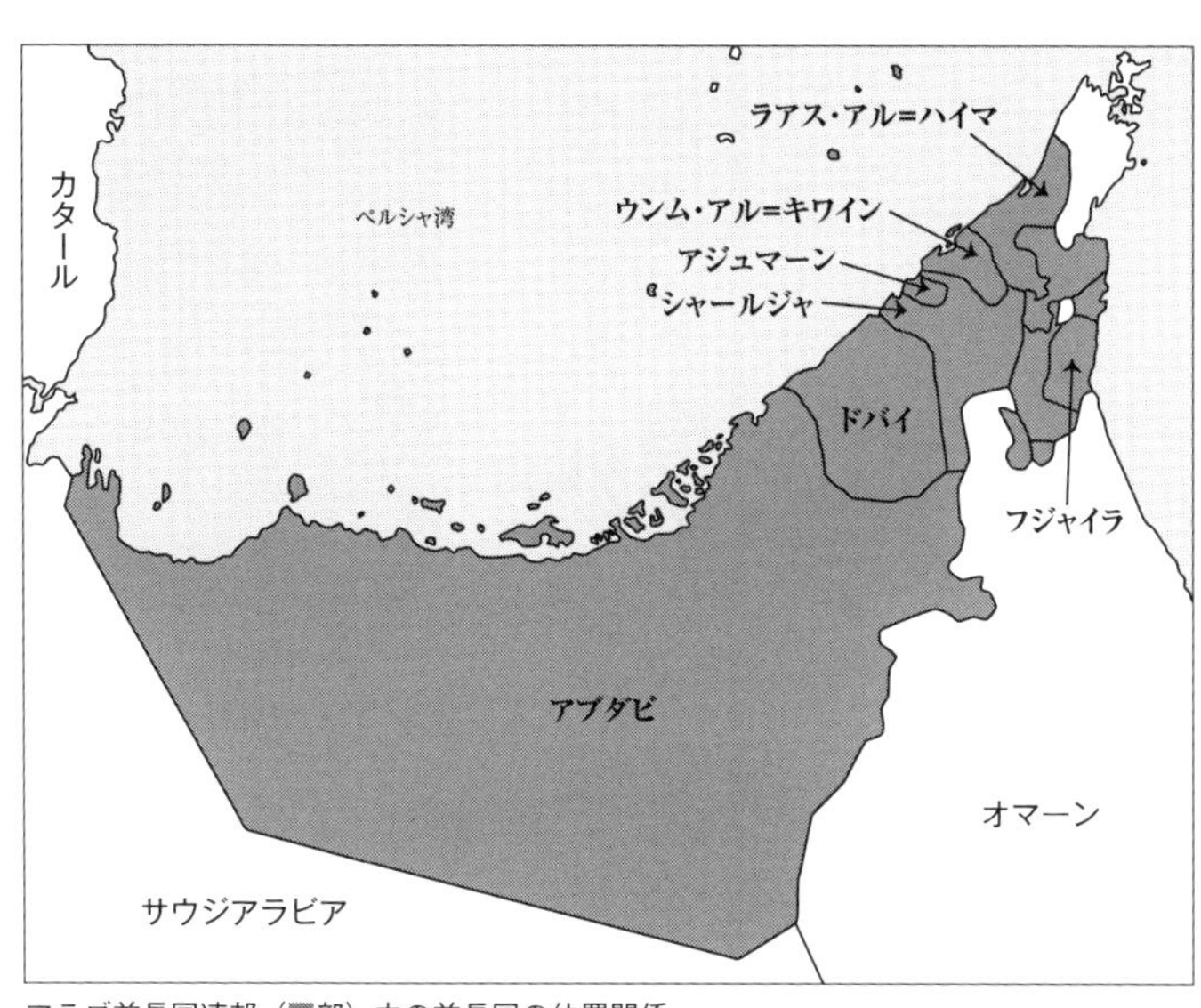

アラブ首長国連邦（▩部）内の首長国の位置関係

現在でこそＵＡＥを含むペルシャ湾岸は〝世界有数の産油国〟となっていますが（ただし、連邦を構成している首長国のすべての国で石油が産出されるわけではありません）、この地域での原油の採掘が本格的に始まったのは１９５０年代後半のことです。

では、それ以前には、これらの首長国は何を主たる収入源にしていたのでしょうか。

アラビア半島のペルシャ湾岸は土壌としては砂漠地帯ですから、農業はほとんどできません。

そのため、小規模な沿岸漁業やダウ船と呼ばれる伝統的な帆船の製造、それから真珠の採取などが細々と行われてきました。しかし、それだけではとても生活していくことはできません。

ダウ船

そこで、彼らは周辺を行き交うインドやペルシャの船を襲う〝海賊行為〟で生計を立てていました。その中心となっていたのは、現在のUAEのシャールジャとラアス・アル＝ハイマの首長の出身部族であるカワーシム（ジャワーシム）族です。彼らは現在のラアス・アル＝ハイマに属するジュルファルを拠点に、ペルシャ湾東南部における覇権をオマーンと争っていました。

金をやる、外交と防衛もしてやるから、とにかく海賊をやめろ！

18世紀に入ると、イギリスのインド進出が本格化し、東インド会社がこの地域の貿易を独占するようになります。当然のことながら、カワーシム族はイギリス船も襲撃の対象としていました。そのため、イギリスはカワーシム族と衝突し、この地域に深く関わらざるをえなくなっていきます。

もちろん、世界に冠たる大英帝国の実力をもってすれば、原始的な帆船で襲ってくる海賊など鎧袖一触（がいしゅういっしょく）で蹴散らせるのですが、彼らが頻繁に襲ってくるのはやはり鬱陶（うっとう）しいのです。そこで、１７９８年、イギリス東インド会社は、マスカト（現在のオマーン）の首長と友好条約を締結し、１８０９年以降、彼らとともに本格的な海賊討伐に乗り出します。

さらに１８１９年、イギリスはアラビア海の海図を作成したうえで、インド西海岸の港湾都市ボンベイ（現在のムンバイ）からアラビア半島東岸に大規模な討伐艦隊を派遣し、この地域の海賊を鎮圧します。以後、カワーシム族の勢力は衰退していきました。

そのうえで、イギリスはこの地域の首長たちの間に〝休戦条約（トゥルース）〟を結んで、彼らを保護国化します。

このように書くと、すぐにイギリスがペルシャ湾岸を〝侵略〟して植民地化し、現地の資源と労働力を〝搾取〟して非道の限りを尽くしたと連想しがちですが、前にも書いたように、この時点ではペルシャ湾岸にはめぼしい資源はなく、人口もほとんどいない土地でした。我々がイメージするような過酷な植民地支配なんて、やりたくてもやりようがありません。

むしろ、イギリスとしては鬱陶しい海賊行為をやめさせるにはどうすればいいかを考えた結果、次のような結論に達します。

「ペルシャ湾岸の連中が海賊や強盗をやるのは、ようするに〝食えない〟ことが原因だから、〝食える〟ようになれば海賊もやめるだろう」

そう考えたイギリスは、地元の首長に年金を払い、「とりあえず生活が成り立つようにしてやるから、もう海賊なんてやめて、大人しくしていろ」と持ち掛けます。

ペルシャ湾からインド洋の一帯は、イギリスにとってはインド防衛のための重要な拠点ですから、さらに外交と防衛も全部イギリスがやってやるということで話をつけました。

非アラブの大国、ペルシャという恐怖

当時ペルシャ湾岸の首長国が何よりも恐れていたのは、対岸の大国ペルシャ（現在のイラン）です。

ちなみに、日本人のなかには中東とアラブはイコールだと誤解されている方が少なくないようですが、アラブとは基本的にアラビア語を母語とする人たちのことで、彼らが住む国・地域は、いわゆる中東の相当部分を占めるものの、すべてではありません。当然、ペルシャ語のイラン人が住むイラン、トルコ語のトルコ人が住むトルコ、ヘブライ語のユダヤ人が住むイスラエルなどは「アラブ」には含まれません。

さて、19世紀に入るとペルシャの国力もかなり衰退してくるのですが、それでも彼らは地域大国として、「ペルシャ湾」を、その名の通りすべて自分たちの海だと考えていました。「対岸

にへばりついている野蛮な首長国なんて、生かすも殺すも自分たちの気分次第でどうにでもなる」というのが、彼らの〝常識〟でした。

ですから、湾岸首長国にしてみると、いつ異民族のペルシャ人が攻め込んできて、自分たちの国を征服するかわかりません。湾岸首長国はその恐怖のなかでずっと生きてきたわけです。

そんなとき、イギリスが手を差し伸べてくれるというのです。

イギリスの邪魔をせず、ちょっと港や土地を使わせてやれば小遣いをくれるので、食うには困らないし、敵から守ってもくれるというのです。首長国側からしたら、こんなに美味しい話はありません。

こうして、ペルシャ湾岸の群小首長国は次々にイギリスと休戦協定を結んでいきました。現在のＵＡＥ構成国などは「休戦協定諸国（トゥルーシアル・ステイツ、休戦オマーンとも）」という塊（かたまり）にくくられます。

もっとも、それぞれの首長国は基本的に仲が悪くて、とてもひとつにまとまれるような状態ではないのですが、ともかく「イギリスから年金をもらっているうえに、イランの脅威からも守ってもらっている国々」ということでひとくくりにされていたわけです。

ドバイとアブダビの根深い対立とは?

ここで、連邦結成以前のそれぞれの首長国が、基本的に仲が悪かったことを示す例をひとつ紹介しておきます。

有名なのはドバイとアブダビで、両国は犬猿の仲です。それに関するエピソードはいろいろあるのですが、たとえば、筆者の専門である切手にもその痕跡は見てとれます。

1961年1月、英国は休戦協定諸国全域で共通に使用するための切手を発行しました。切手は、7つの首長国にちなみ、7本のナツメヤシが描かれるデザインでした。

実は、現在のUAEに相当する地域では、当初、郵便局はドバイにしかありませんでしたが、第二次世界大戦後、イギリスはこの地に郵便網を拡大することを計画。この切手もそうした背景のもとで発行されたものです。まずドバイの郵便局で使われたあと、順次、他の首長国で開設される郵便局でも使われる予定となっていました。

ところが、切手のデザインについて、アブダビがクレームをつけます。「7本のナツメヤシの大きさに大小があるのは、休戦協定諸国間の平等という原則に反している」というのがその理由でした。より端的に言うと、「ドバイをいちばん大きな木として描き、アブダビを格下に描いているのはけしからん」というわけです。切手のデザインでは、いちばん大きな木がドバイで、アブダビは格下に描かれていると理解したのでしょう。

そして、１９５８年の油田発見を受けて１９６０年末に開設された油田地帯のダス島の郵便局では、この切手を使うことを拒絶しました（ちなみに、ダス島の郵便局はアブダビ内に設けられた最初の郵便局です）。

また、ドバイとアブダビは通貨の面でも対立しています。

１９４７年8月、インドとパキスタンが分離独立するまで、ペルシャ湾岸は英領インド帝国の経済圏に組み込まれており、通貨も英領インドルピーが使用されていました。インドの独立後は新生インドルピーがこの地域の基軸通貨になります。

休戦協定諸国全域で
共通に使用された切手

新生インドが誕生した時点でのインドルピーは、イギリスのスターリング・ポンドに対して1ポンド＝13 1/3ルピーの固定相場でした。また、スターリング・ポンドは米ドル金為替本位制を中心としたＩＭＦ体制のもとで、米ドルとの固定為替相場制（1ポンド＝2ドル80セント）をとっており、間接的に金本位制となっていました。このため、インドルピーもスターリング・ポンドを介して

（さらに間接的にですが）金本位制とつながるという構造になっていました。

ところが、米ドルとの交換を目的とした公定価格（金1オンス＝35ドル）は、市場での金取引の実勢価格に比べて割安に設定されていたため、金を買ってドルを売ることが盛んに行われます。その際、インド一国にとどまらず、広い地域で使われているインドルピーが金の密貿易に盛んに利用されたため、インド本国の外貨準備高は減少の一途をたどっていきました。

そこで、1959年5月、インド政府はインドルピーの国外での流通を停止。湾岸地域で使用するための通貨として、新たにガルフルピー（インドルピーと連動した不換紙幣）を発行しました。

これをきっかけに、1961年にはクウェートがクウェート・ディナールを、1965年にはバハレーンがバハレーン・ディナールを導入し、ルピー経済圏を離脱します。ただし、この時点では、その他のイギリス保護下の湾岸首長国では依然として、ガルフ・ルピーが使用されていました。

ところが、1966年6月6日、インド政府は、それまでの固定相場を切り下げることを決定。これを受けて、ガルフ・ルピーは為替市場で暴落し、湾岸地域は通貨危機の危険にさらされることになります。

このため、ポンドとの旧レートを支持したオマーン（1970年までガルフ・ルピーを使用）

を除き、湾岸首長国はガルフ・ルピーを放棄し、カタールとドバイによるカタール・ドバイ・リヤル（のちのカタール・リヤル）を導入します。一方、ドバイと対立関係にあったアブダビは前年に創設されたバハレーン・ディナールに加わりました。

このように、休戦協定諸国の内情は決して一枚岩ではなく、外部からの支えがなくなれば、対立するドバイとアブダビが常に反目するという脆い連合でしかなかったのです。

保護国のままがいい！　独立なんてしたくない！

ところが、1968年、イギリス本国の労働党政権が、1971年末をもってスエズ以東から軍事的に撤退することを発表すると、ドバイとアブダビは長年の対立を超えて連邦結成に動き出さざるをえなくなります。

当時のイギリスはいわゆる「英国病」が深刻な状況で、経済的な苦境に陥っていました。

一方、アブダビでは1958年に油田が発見され、1966年にはドバイ沖でも海底油田が発見されるなど、休戦協定諸国のなかにはオイルマネーで潤う国が出てきました。

そうなってくると、イギリス国民のなかには、「なぜ自分たちは貧乏に耐えながら、豊かになったドバイやアブダビに小遣いを与え、さらに防衛まで負担してやらなければならないのか。いい加減に首長国には自立してもらわないと、たまったもんじゃない」という当然の不満が生じます。労働党政権はそうした民意を汲んで、ペルシャ湾岸からの撤兵を決断したわけです。

これに対して、年金はともかく、〝保護国〟の座に安住し、英国は永遠に自分たちをイランの脅威から守ってくれるものと思い込んでいた湾岸首長国（休戦協定諸国だけでなく、バハレーンとカタールも）はパニックに陥ります。

1979年にイスラム革命が発生する以前のイランは、パーレビ王制のもと、「湾岸の憲兵」と言われた親米国家であり、潤沢なオイルマネーとアメリカの支援により、強大な軍事力を誇っていました。東西冷戦の枠組のなかでのパーレビ王制の役回りは、西側国家の一員として、親ソ国家のインドやソ連の影響下にあったアフガニスタン、反米・反イスラエルのアラブ民族主義を掲げるイラクのバアス党政権に対してにらみを利かせることにあり、イギリスもイランとの友好関係を重視していました。

したがって、当時、湾岸首長国は、イギリス軍がペルシャ湾から撤退し、イランが湾岸首長国を軍事占領した場合、西側諸国はイランを支持して自分たちを見捨てるのではないかと恐れました。その不安は決して杞憂とも言い切れない面があったわけです。

とはいえ、当時の湾岸首長国の辞書には「自主防衛」なんて単語はありえません。イギリス軍の撤退には強硬に反対し、「なんとか今まで通り保護国のままでいられないか」、「独立なんて勘弁してください」と泣いて頼み込みました。しかし、この地域から撤兵するというイギリスの決意は固く、彼らの懇願を頑としてはねつけました。

そこで、追い込まれた首長国側は、長年の対立関係にあったドバイとアブダビが1968年中に和解し、事実上の連邦形成に合意。両国間では外交、軍事、通貨、市民サービス、市民権、ならびに出入国管理業務などが統合され、〝首長国の連合〟によりイランの脅威に対抗するという方向性が当事者から示されることになります。

UAEを成立させたのは「敵の敵は味方」の論理!?

その後、1970年にはイギリス本国で政権交代があり、保守党政権が成立しますが、イギリス軍のスエズ以東からの撤退という基本政策は放棄されませんでした。このため、クウェートとサウジアラビアは、休戦協定諸国の7首長国にバハレーンとカタールを加えた全9首長国で連合国家を形成するよう、各首長国間の斡旋に乗り出します。

当初、仲介役のクウェートやサウジアラビアは、豊かな産油国で、近代国家としての体裁も比較的整っているバハレーンが首長国連邦の中核となることを期待していました。

しかし、これには、バハレーンを〝不倶戴天(ふぐたいてん)の敵〟とみなしているカタールが強く反対します。

バハレーンは、サウジと王室同士が縁戚関係にあり、それゆえ、サウジの強い影響下にある国です。対岸のイランは、そもそもバハレーンの独立を認めず、バハレーンは自国の領土であるとさえ主張していました。そのため、バハレーンと国家連合を組めば、それを口実にイランが攻めてくるかもしれないとの恐怖にかられた休戦協定諸国も、バハレーン中心の国家連合に反対。それでこの構想は早々に頓挫しました。

結局、1971年8月にバハレーンが、翌9月にカタールが、それぞれ単独で独立します。そして、休戦協定諸国のうち、ラアス・アル＝ハイマを除く6首長国が同年12月2日、アラブ首長国連邦を形成しました。

ちなみに、ラアス・アル＝ハイマの支配一族であるカワーシム族は、バニー・ヤース系のアブダビとドバイが石油収入を得て経済的に発展したことに激しい競争心を持っていたため、同じく、アブダビとドバイの風下に立つことを内心、快く思っていなかったシャールジャを誘って独自の国家建設を目指しました。

しかし、最終的にシャールジャがUAEへの加盟を決断したため、ラアス・アル＝ハイマはドバイやアブダビに依存しない独立国家の建設を目指し、当初はUAEには参加しませんでした。

ところが、UAE設立直前の1971年11月、ラアス・アル＝ハイマが実効支配していた沖合のトゥンブ諸島にイラン軍が侵攻して、瞬く間にそこを占領。その際、国際社会ではラアス・アル＝ハイマを擁護する国はひとつもありませんでした。

さらに、イランはシャールジャに対して圧力をかけ、シャールジャ沖合のアブー・ムーサー島（油田がある）の主権を強引に譲渡させています。

身をもって〝イランの恐ろしさ〟を体験したラアス・アル＝ハイマは、前言を翻して「寄らば大樹の陰」とばかりにアブダビとドバイに合流することを決断し、１９７２年２月、慌てて連邦に加盟します。現在のＵＡＥはこうしてできあがりました。

まさに犬猿の仲！しばしば起こるアブダビとドバイの〝さや当て〟

余談ですが、ＵＡＥが成立した現在でも、アブダビとドバイは、一皮むけば、無茶苦茶仲が悪いということがわかります。

たとえば、ドバイには世界的に有名な「ブルジュ・ハリーファ」という高層建築があります。あの建物は、もともとは「ブルジュ・ドバイ」という名前で開業する予定でした。

ところが、２００８年９月のリーマン・ショックの余波で、金融都市のドバイもかなりなダメージを受け、2009年11月には、株価が大きく下落するドバイ・ショックが発生してしまいます。ドバイ政府が、政府系持株会社ドバイ・ワールドと不動産子会社ナヒールの債務590億ドル（当時のレートで約5兆円）について、6カ月以上の支払い猶予（ゆうよ）を債権者に求めたことが株価下落のきっかけでした。

ドバイ・ショックの結果、ドバイでは不動産の空室や差し押さえ物件が溢れかえってしまったので、ドバイ政府はアブダビに泣きついて数十億ドルを借り入れて急場をしのぎました。

こうしたすったもんだの末、2010年1月4日、件（くだん）の高層建築のオープニング・セレモニーが行われます。すると、そのセレモニーで突如、それまで「ブルジュ・ドバイ」とされていた建物の名称が、アブダビのハリーファ首長にちなんで、「ブルジュ・ハリーファ」に変更されることが発表されました。

ブルジュ・ハリーファ　©splash/アフロ

アブダビは、ドバイに対する嫌がらせというか、完全に〝マウント〟をとるためにそれをやったわけです。ドバイ側は腸（はらわた）が煮えくり返る思いだったと思います。

ここまで派手なケースはそうそうありませんが、それでも、アブダビとドバイの間では、こうした江戸時代の大奥のような、ネチネチとした〝さや当て〟は珍しくなかったわけです。

転機となった湾岸戦争！フセインの唱えた「リンゲージ論」とは？

さて、こうして成立したＵＡＥですが、パレスチナ問題については、とりあえずアラブ連盟の基本方針には従うけれど、しょせんはイスラエルと直接交戦したこともなければ、国境を接しているわけでもありません。エジプトやシリア、ヨルダンのような緊張感はないわけです。

ただ、彼らがパレスチナと全く無関係だったかというと、そうでもありません。それまでも、石油産業での出稼ぎ労働者として、相当な数のパレスチナ出身者を受け入れてきました。また、パレスチナ人労働者から一定の税を徴収し、そのおカネを、パレスチナを代表する組織ということになっていたＰＬＯ（パレスチナ解放機構）に収めるという〝徴税代行〟のようなこともやっていました。ただし、同じようなことは、クウェートやサウジ、バハレーン、カタールなどもやっていましたから、これはＵＡＥの特殊事情ということではありませんが。

このように、一応ＵＡＥをはじめ湾岸諸国はパレスチナを支援するという格好になっていましたが、その構造は、１９９１年の湾岸戦争で大きくひびが入ります。

１９９１年１月の湾岸戦争は、１９９０年８月、イラク軍がクウェートに軍事侵攻し、クウェートを占領したことに対して、国連の安保理決議でイラク軍の撤兵を求めたものの、イラク軍が期限までに撤退しなかったため、国際社会は軍事制裁を科した、というのが基本構造です。

これに対して、イラクのサッダーム・フセイン政権が持ち出したのが「リンケージ論」でした。フセインの主張はこうです。


イラクは国連決議に従わず、クウェートから撤退しなかったがゆえに、懲罰として湾岸戦争で多国籍軍の攻撃を受けた。しかし、それじゃぁイスラエルはどうなんだ。

１９６７年６月の第三次中東戦争でイスラエルはシナイ半島や東エルサレム（三宗教の聖地がある旧市街）を含むヨルダン川西岸、ガザ地区を占領したが、11月22日の国連安保理ではイスラエルの占領を無効とする安保理決議２４２がアメリカを含む全会一致で可決された。

しかし、その後もイスラエルは（シナイ半島やゴラン高原の一部こそ返還したが）安保理決議を無視してガザ地区とヨルダン川西岸を占領し続けているのに、国際社会はイスラエルに何も制裁を加えていないではないか。

これは、明らかなダブル・スタンダード（二重基準）であり、不当な差別である。それゆえ、イラクを公平に扱うというのであれば、クウェートの問題とパレスチナの問題は、〝リンク〟

させて解決しなければならない。

このリンケージ論を論破するのは簡単です。

「〝強盗をやって捕まらない者がいるのに、自分が強盗をやって逮捕・処罰されるのは納得がいかない〟というのは道理として通じない」と言えば、それでおしまい。

もともと、フセインはそれほど熱心にパレスチナ問題に関与してきたわけではありません。このリンケージ論も、国際的に孤立した彼が、アラブ諸国の支持を得るため、苦し紛れに発した方便という性質が強いわけです。

ただ、アラブ世界の大半は独裁政権であり、国民の自由は制約されています。一般庶民の経済状況も決して良くはありません。

サッダーム・フセイン

そうした国々の政府は長年、「自分たちの国家建設や経済運営が上手くいかないのは、イスラエルという強大な敵国と対峙しているからで、すべてはイスラエルが悪い」と言い続けてきました。しかし一方で、アラブ諸国が連携して「悪逆非道なイスラエル」を打倒して、「アラブの大義」とされているパレスチナ解放を実現できるのかというと、誰がどう見たってそれは無理な話です。

そうした、いわば八方ふさがりの閉塞感のなかでは、一般の国民が「差別だ！」と叫んでストレスを発散させることが往々にして起こりうるわけです。そして、それが政権批判に向かない限り、各国の独裁政権もそれを黙認するという構図が生まれます。そうしたアラブ諸国の民衆の支持が、結果として、国際社会においてフセイン政権を支えていたわけです。

UAEの三不政策、パレスチナ支援は単なる〝お付き合い〟!?

パレスチナ問題の当事者だったPLOのヤセル・アラファト議長は、湾岸戦争当時、リンケージ論を掲げるイラクを支持しました。

純粋に国際世論の動向をみれば、アラブ諸国でさえ大半はイラク軍のクウェート侵攻には反対していたぐらいですから、イラクに勝ち目がないことは最初からわかっていました。それでも、彼らにはイラクを支持せざるをえない理由がありました。

アラファトとPLOは、1989年に東西冷戦が終わるまで、パレスチナ問題を東西冷戦の文脈に落とし込み、イスラエルがアメリカの支援を受けていることの〝カウンター〟として、ソ連をはじめ東側共産諸国からさまざまな支援を受けていました。

ところが、1989年11月のベルリンの壁崩壊に始まる東欧民主革命で、それまでPLOを支援していた共産主義諸国は軒並み消滅してしまいます。

イラクは、そうしたなかで、PLOにとって残された数少ない大口スポンサーのひとつでしたから、アラファトとしてもイラクと絶縁するわけにはいかず、イラク支持を表明するしかなかったわけです。あるいは、ギリギリのところでイラク軍はクウェートから撤退する（戦争は回避できる）という見通しだったのかもしれません。

いずれにせよ、湾岸戦争でイラク支持を表明したことで、戦後はPLOも国際的に孤立します。特に湾岸諸国からしてみれば、自分たちの地域に侵略してきたイラクを支持するPLOは、パレスチナ解放というアラブの大義があろうとなかろうと、明確な敵対勢力です。

ヤセル・アラファト

この結果、パレスチナ人の出稼ぎ労働者は湾岸諸国から事実上追放され、湾岸諸国がPLOのために行っていたパレスチナ人に対する徴税代行もしばらく停止されました。

この時点で、UAEにしてみれば「とりあえずアラブ連盟加盟国としてイスラエルに対する三不政策には従うし、相応のパレスチナ支援は〝お付き合い〟としてするけれど、それ以上はちょっと……」というのが正直な〝本音〟になっていたとみることができるでしょう。

UAEとイスラエルを接近させたオバマ政権の悪夢、イラン核合意

その後、湾岸情勢に大きな影響を与えることになったのが、アメリカのバラク・オバマ政権発足（2009年）です。

大統領のオバマは、就任したその年の2009年、まだ外交上の実績をほとんどなにもあげていないにもかかわらず、「核なき世界」演説でノーベル平和賞を受賞した人物で、（悪い意味での）リベラルな理想主義者です。当然、それまで敵対関係にあった国々に対しては〝宥和路線〟で臨むことになります。

その文脈で、1979年のイスラム革命とそれに続くテヘランの米国大使館占拠事件以来、敵対関係にあったイランに対しても宥和策がとられました。

当然のことながら、歴史的にイランの脅威に直面してきたUAEはオバマ政権の中東政策に

郵便はがき

お手数ですが
切手を
お貼りください

150-8482

東京都渋谷区恵比寿4-4-9
えびす大黒ビル
ワニブックス 書籍編集部

お買い求めいただいた本のタイトル

本書をお買い上げいただきまして、誠にありがとうございます。
本アンケートにお答えいただけたら幸いです。
ご返信いただいた方の中から、
抽選で毎月5名様に図書カード(500円分)をプレゼントします。

ご住所 〒

TEL(　　-　　-　　)

(ふりがな)
お名前

ご職業

年齢　　歳

性別　男・女

いただいたご感想を、新聞広告などに匿名で
使用してもよろしいですか?（はい・いいえ）

※ご記入いただいた「個人情報」は、許可なく他の目的で使用することはありません。
※いただいたご感想は、一部内容を改変させていただく可能性があります。

●この本をどこでお知りになりましたか?(複数回答可)

1.書店で実物を見て　　2.知人にすすめられて
3.テレビで観た(番組名:　　)
4.ラジオで聴いた(番組名:　　)
5.新聞・雑誌の書評や記事(紙・誌名:　　)
6.インターネットで(具体的に:　　)
7.新聞広告(　　新聞)　　8.その他(　　)

●購入された動機は何ですか?(複数回答可)

1.タイトルにひかれた　　2.テーマに興味をもった
3.装丁・デザインにひかれた　　4.広告や書評にひかれた
5.その他(　　)

●この本で特に良かったページはありますか?

[　　]

●最近気になる人や話題はありますか?

[　　]

●この本についてのご意見・ご感想をお書きください。

[　　]

以上となります。ご協力ありがとうございました。

深刻な危機感を抱きます。そこで、イランに対する抑止力を確保するために、いちばんあてになる国、すなわちイスラエルと接触し始めました。パレスチナ問題とは実質的に無関係のＵＡＥにとっては、アラブの大義であるパレスチナ解放や対イスラエル三不政策を否定はしないけれど、イスラエルよりもイランのほうがはるかに脅威なのです。

実際、オバマ政権が発足した２００９年以降、アメリカ駐在のイスラエル大使とＵＡＥ大使が水面下ではありますが、本格的に接触を開始します。

２０１０年には、アブダビで開催されたエネルギー関係の国際会議にイスラエルの閣僚がオブザーバーとして出席して、波紋を呼びました。もちろん、当時ＵＡＥは（建前としては）三不政策を放棄していませんが、実際のところはかなり〝骨抜き〟にしているわけです。

バラク・オバマ

ところが、２０１０年1月16日に件の会議が行われてから3日後の19日、ドバイのホテルで、イスラム過激派でパレスチナのガザ地区を拠点にしているハマスの指令官、マフムード・マブフーフの暗殺事件が発生します。

ホテルの防犯カメラの映像などから、犯行はイスラエルの諜報機関、モサドの犯行でほぼ間違いないということになりました。ＵＡＥは完全に面子を潰されてしまったわけです。

ここで一旦、イスラエルとＵＡＥは（少なくとも表面上は）関係が途絶えてしまいます。

実際、２０１０年にドバイでテニス選手権があったときには、イスラエル選手に入国ビザが発給されず、２０１２年になってもドバイの公式見解は「イスラエルとの関係改善なんてありえない」でした。

とはいえ、やはり目の前にはイランの脅威があります。

そのイランとアメリカが関係改善を模索している以上、ＵＡＥとしてもイスラエルを無視できません。水面下ではイスラエルと接触を続けていたと言われています。

さらに、２０１５年には、ＵＡＥにとって悪夢となる〝イランの核合意〟が成立します。

核合意についておさらいしておくと、イランがウラン濃縮活動を大幅に縮小するとともに、ＩＡＥＡ（国際原子力機関）が行うよりも厳密な査察を受け入れ、その代償として、国連安保理の常任理事国の5カ国とドイツ（Ｐ５＋１）がイランの核開発に関する経済制裁を段階的に解除していくというものです。

合意が成立したのが２０１５年7月で、同年11月にはイラン産原油禁輸措置が解除され、イラン経済は一息つくことになります。

ＵＡＥからすれば、せっかくイランが経済制裁で弱っていたのに、西側諸国が核合意なんて余計なことをするから、「イランが息を吹き返してしまった」という厄介な事態の到来です。

そこで、いよいよイスラエルとの距離を縮めていかなければならなくなります。

そして２０１６年の１月にはイスラエルのエネルギー相がアブダビを訪問します。安全保障とは無関係に、純粋に石油を買うためのビジネスという建前ですが、ともかくも、三不政策を忠実に守るなら〝接触してはいけない相手〟の訪問を受け入れてしまうわけです。

先例にとらわれない〝アウトサイダー〟トランプ政権誕生で激変する中東

２０１７年1月、アメリカではドナルド・トランプ政権が発足しましたが、最初のうちは、アメリカはイランとの核合意を簡単には破棄できないだろうとみられていました。

トランプ政権は、良くも悪くもワシントン政治の〝アウトサイダー〟でしたから、それまでの経緯や複雑なしがらみよりも、現実に即して、何がアメリカ（ないしは自分たちの政権）にとって有利かということを優先して、フラットに物事を考えることが可能でした。

たとえば、中東和平に関しても、１９６７年の第三次中東戦争以来、50年以上にわたり東エルサレムを含むヨルダン川西岸（の大半）がイスラエルの実効支配下にあるという現状を追認

（1967年以前に戻すという安保理決議242号に基づくなら〝現状〟の変更になりますが）し、そこから現実的な解決策を探るというのが基本方針です。

もともと、アメリカの民主党と共和党は、いずれも党綱領でエルサレムをイスラエルの首都と認め、1995年には連邦議会で大使館のエルサレム移転を認める法律も可決されました。

しかし、歴代の政権は「大使館のエルサレム移転は、安保理決議に抵触し、国際世論の反発が予想されるため、中東和平実現の障害になる」との観点から、同法の実施を半年ごとに延期するというやり方で問題を先延ばしにしてきました。

これに対して、トランプは、2017年6月には歴代政権の先例を踏襲して大使館の移転を半年延期しましたが、半年後の同年12月には選挙公約通り、大使館の移転手続きを開始しています。

アメリカが〝現状追認〟の姿勢を強めていくなかで、2017年10月にはアブダビで柔道の国際大会、グランドスラムが開催され、それにイスラエル選手も参加しました。イスラエル選手団に対しては「例外的な措置」としてビザが発給されていますから、この時点でUAEは国家としてイスラエルを事実上承認したも同然です。

しかも、大会ではイスラエルのタル・フリッカー選手が66キロ級で優勝します。しかし、当時は一応UAEも三不政策の建前を気にしていましたので表彰式でイスラエル国旗を掲げ、国歌を流すわけにはいきません。それだけは勘弁してほしいということで、形式的には「国籍不詳」の選手がメダルをとったことにして、表彰式は大会旗・大会歌でお茶を濁しました。

ＵＡＥとイスラエルの関係は２０１９年時点で事実上正常化していた!?

２０１８年5月14日、イスラエルの建国70周年にあわせて、ついに米国大使館がエルサレムに移転します。

前年12月に大使館移転の手続きを開始した際、多くのメディアはアラブ諸国が強く反発し、中東は大混乱に陥るとの論調でしたが、実際には、小規模な抗議行動こそ起きたものの、アラブ諸国の大半は事実上、事態を静観していました。トランプ政権はそれを踏まえて公約を実行したのですが、やはり大きな混乱は生じませんでした。

もはや、第三次中東戦争から半世紀以上が過ぎ、アラブの大義（パレスチナ解放）という〝建前〟はともかく、現実にそこに存在している経済大国・軍事大国としてのイスラエルとは共存していくしかないという、アラブ諸国の〝本音〟が確認された格好です。

さらに、エルサレム問題と並行して、２０１８年5月、アメリカはイランとの核合意を離脱し、11月にはイラン産原油の禁輸措置を再開しました。

アメリカの核合意について、日本の大手メディアでは、トランプはオバマが気に入らないから破棄したと説明する識者が何人かいましたが、これはあまりにも短絡的な見方です。

もともと、トランプは、2016年の大統領選挙のときから、
①イランの核計画が期限付きでしか制限していない。
②弾道ミサイル開発を制止していない。
など、合意の欠陥を指摘し、欠陥合意に参加する必要はないことを公約として掲げていました。合意からの離脱は、それを忠実に実行しただけのことです。ここでもまた、あくまでも現実を踏まえてフラットに判断するトランプ外交の性格がよく表れていると思います。

こうして、周辺事情がUAEにとっては好ましい方向へ動いていくなかで、2018年も後半になると、UAEとイスラエルの接触は以前にもまして密になっていきました。

同年9月には、UAEのセッティングにより、アブダビでイスラエルのネタニヤフ首相とトルコのエルドアン大統領が秘密会談を行っています。

そして、翌10月、アブダビで再び柔道のグランドスラムが開催され、やはりイスラエルのサギ・ムギが88キロ級で優勝しますが、今回は会場でイスラエル国旗が掲揚され、国歌も演奏されました。これでイスラエルを否認する三不政策は事実上骨抜きになりました。

もちろん、この時点でも、建前としてはアラブ連盟加盟国としてのＵＡＥはイスラエルと国交がないことになっていますが、実質的にはイスラエル国家の存在を前提に動いているわけです。

さらに、２０１９年になると、２０２０年のドバイ万博（実際には新型コロナウイルス騒動で延期されましたが）にイスラエルが正式に招待され、イスラエル側も記者会見でそのことを公式に発表しています。もちろん、ＵＡＥは否定しません。

実質的にはこの時点で、正規の国交こそないけれども、両国間の外交関係は事実上正常化されていたと見ていいでしょう。

カマラ・ハリス起用はトランプ陣営が〝舐められていた〟証拠

こうした経緯を経て、２０２０年8月13日、ホワイトハウスがイスラエルとＵＡＥが関係正常化に移行したと発表しました。

実はこの8月13日というタイミングは、ＵＡＥの立場になって考えてみるとけっこう重要です。というのも、その直前の11日、アメリカの大統領選挙では、カマラ・ハリスが民主党の副大統領候補に指名されているからです。

カマラ・ハリス

　彼女はジャマイカ出身の父親とインド出身の母親の間に生まれた〝黒人（ただし、アフロ・アメリカンと呼べるかどうかはかなり微妙）〟の女性です。アメリカの大統領選挙においては、副大統領の候補は、大統領候補が票をとりづらい層を意識して決めるのが王道です。

　わかりやすい例を挙げると、たとえば、１９６０年の選挙のとき、東部出身のアイルランド系カトリックで当時40代のジョン・F・ケネディが大統領候補となりました。このときの副大統領のリンドン・ジョンソンは、ケネディーが票を集めにくい南部のテキサスを地盤とするＷＡＳＰ（アングロサクソン系のプロテスタント）で、民主党の上院院内総務を務めるベテラン議員でした。

　２０２０年の大統領選で民主党の大統領候補となったジョー・バイデンは、ケネディ同様、アイルランド系のカトリックですが、オバマ政権時代の副大統領だったという遺産があって黒人層の支持が堅かった一方、ヒスパニック票が弱点と言われていました。

　したがって、選挙戦略からすれば、副大統領候補はヒスパニック系から指名するのが王道で、実際、適任と目された女性政治家もいたのですが、民主党内の勢力バランスもあって、カマラ・ハリスが指名されています。

これでは、ヒスパニック票の掘り起こしは期待できません。しかし、逆にいうと、この選択は、バイデン陣営がそんなことをしなくてもトランプに勝てると踏んでいたことの表れともいえるわけです。ようするに、トランプ陣営を舐めていたということですね。

実際、2020年の大統領選挙では、各種の世論調査の支持率やインターネットを通じての小口献金の口数・金額（献金者はほぼ確実に投票するので、票の掘り起こしという点でも重要）などの面で、バイデンは終始優位に立っており、トランプ陣営は苦境に立たされていました。

こうした情勢を踏まえ、バイデン陣営がカマラ・ハリスを副大統領に指名したことを受け、各国の外交筋は、バイデン陣営は当選に強い自信を持っており、2021年にはバイデン政権が誕生する可能性が高いと判断し、バイデン・シフトを本格化していきます。

ジョー・バイデン

UAEの認識では、バイデンという人物は良くも悪くも〝オバマ路線の継承者〟です。

バイデン政権が誕生すればイランに対する宥和政策が復活し、最悪の場合、アメリカは以前と同じ内容の核合意に復帰してしまうかもしれません。

それは、UAEにとっては悪夢のシナリオです。

実際、バイデンの外交安全保障スタッフは、オバマ時代にイラン核合意を進めた人たちが中心ですから、ＵＡＥは気が気ではないわけです。

ＵＡＥ駐米大使のイスラエル非難の裏にあるメッセージとは？

ＵＡＥからすれば、イランに対して宥和的なバイデン政権が誕生したうえに、サウジに置かれていた米軍のプレゼンスが低下するとなると、あらためて、イランの脅威に備えるには信頼できるバックが欲しいわけです。それを踏まえると、ＵＡＥがイスラエルと結びつくのは当然の選択です。

ところで、アメリカの仲介でＵＡＥがイスラエルと関係を正常化した際、イスラエル側はＵＡＥに（形骸化していたとはいえ）三不政策を放棄させる代償として、ヨルダン川西岸の併合問題で譲歩しています。

２０２０年1月28日にトランプ政権は「中東和平提案」を発表したのですが、ヨルダン川西岸地区については次のような内容になっています。

■ユダヤ人入植地

・ヨルダン川西岸にあるユダヤ人入植地のイスラエル人の土地の97％はイスラエル領に編入される。

・ヨルダン川西岸に住むパレスチナ人の土地の97％はパレスチナ国家に編入される。

・イスラエル領の飛び地に住むパレスチナ人のパレスチナへの移動と、パレスチナ領の飛び地に住むユダヤ人のイスラエルへの移動は、ともにイスラエルの管理のもとで実施される。

・和平交渉が始まれば、イスラエルは４年間、入植活動を停止する。

■ヨルダン渓谷

・ヨルダン川西岸のヨルダン渓谷地域はイスラエルの安全保障の重要性からイスラエルの主権下に置かれる。

・渓谷地域に農地などを所有するパレスチナ人の立ち入りはイスラエルの特別許可のもとで保証される。

この提案を受けて、イスラエル首相のベンヤミン・ネタニヤフは、ヨルダン川西岸の30％はユダヤ人入植地として、ヨルダン渓谷をイスラエルと併合することを公約に、なんとか６月の

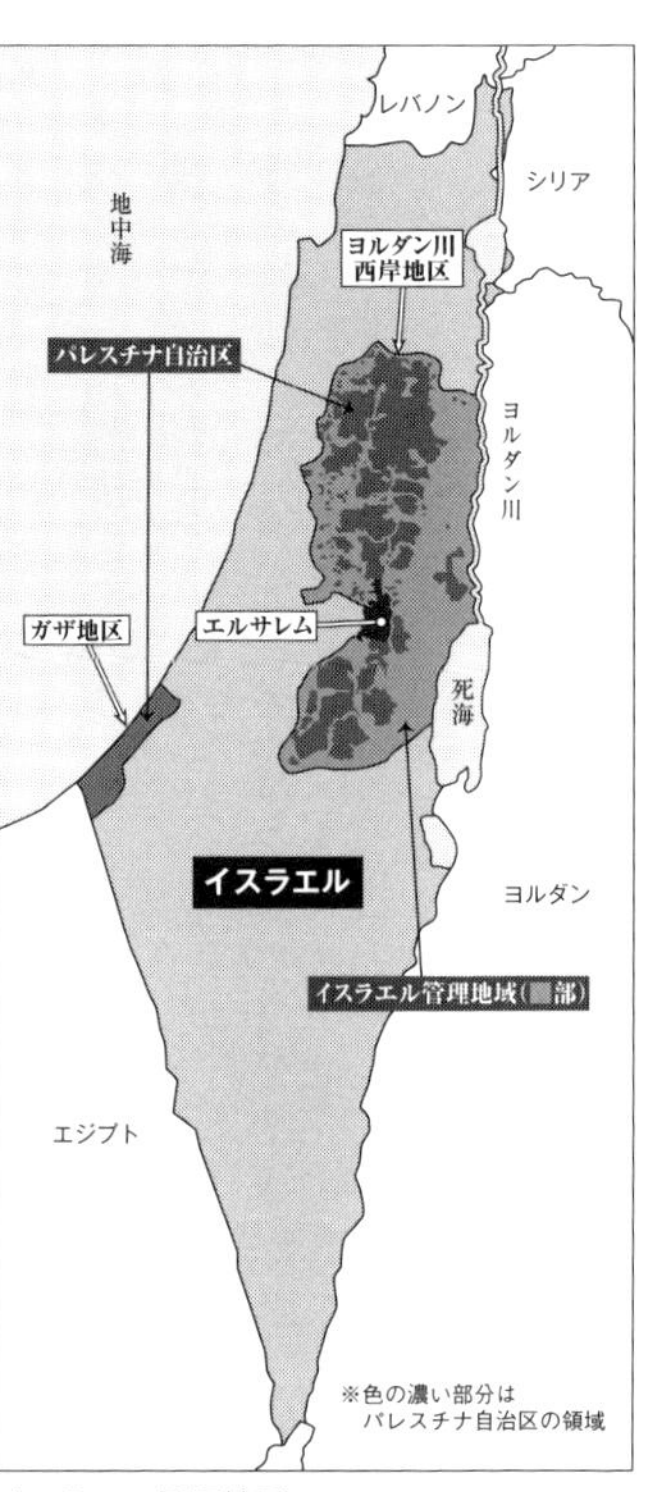

イスラエル周辺地図

選挙を乗り切っています。その後、入植地の境界の確定についてはアメリカとの合同委員会と進めると規定されていたので、ネタニヤフは、7月1日から併合に向けた法手続きを開始しようとしたのですが、アメリカがこれを認めませんでした。

一方、その過程でUAEのオタイバ駐米大使は、6月12日付でイスラエルの新聞に「一方的な併合を強行すれば、アラブ諸国との関係性は不可能だ」という警告の文章を寄稿しています。

その文言だけ読むと、UAEはイスラエルを非難しているようにみえますが、よくよく考えてみてください。UAEの大使がイスラエルの新聞に寄稿しているということは、結果的に、UAEという国がイスラエルを〝認めている〟のを再確認したことになります。

本当に「イスラエルを認めない」三不政策を忠実に実行するなら、それこそ、この警告の文章はアメリカの『ウォール・ストリート・ジャーナル』なり『ニューヨーク・タイムズ』なりに寄稿すればいいわけです。だから、イスラエルとは一定の関係を築くことを前提としたうえで、「ほどほどにしておけよ」というのが、ＵＡＥ側の〝本意〟とみるべきです。

ようするに、6月12日の時点ですでに国交正常化についてある程度の〝下準備〟ができ上がっていたとみていいでしょう。そのうえで、11月の大統領選挙後の状況は不透明だから、とりあえず、国交正常化まで一挙にいくかどうかは別として、一段階、ステップを進めておこうという話が事前にあったとしても不思議ではありません。

「ＵＡＥがパレスチナを裏切った」と評する、寝ぼけた西側メディア

さらにいえば、そもそもヨルダン川西岸の入植地問題は一義的にはイスラエルとパレスチナの問題ですが、パレスチナ問題は「アラブの大義」と密接に関わっていますから、「アラブ全体の問題」ともいえるわけです。

それを、ＵＡＥとの国交を結ぶための妥協の材料にするということは、イスラエルとアメリカの認識からすると、〝アラブの代表〟は世間一般的に言われているサウジアラビアではないということになります。ＵＡＥがアラブの代表としてふさわしいかどうかは別として、少なく

とも、「サウジはアラブ世界ないしはイスラム世界の〝盟主〟でも何でもない」と宣言したも同然といえるでしょう。

いやしくも、サウジが勝手に自称しているように、彼らが本当にアラブを、イスラム諸国を代表しているのであれば、「サウジがイスラエルに対して国交を結んでやるから、ヨルダン川西岸の一部併合はやめろ」と迫るのが筋のはずですが、アメリカもイスラエルもサウジごときにそんな出過ぎた真似はさせないわけです。

少なくともUAEは、アメリカとイスラエルを後ろ盾にしてイランの脅威に対抗したいと考えています。各国がバイデン・シフトし始めたこのタイミングでイスラエルと国交を結んでおくことで、アメリカの政権が、トランプになろうがバイデンになろうが、どちらに転んでもいいように保険をかけたわけです。

もちろん、アメリカから見れば、サウジという国は一応これまでの友好関係もあるので、〝どうしようもない国〟ではあるけれども（どれくらい〝どうしようもない〟かは後述します）、いきなり放り出したりはしません。イランがある限りは敵国認定もしません。

ただ、サウジなんて、その程度です。アラブ諸国やイスラム世界の盟主なんておこがましい。しょせんは、二大聖地のメッカとメディナの〝ガードマン〟の域を出ません。

実際、UAEとイスラエルの国交正常化について、エジプトは肯定的で、サウジの事実上の属国と言われるバハレーンも反対していません。むしろ自分たちがそれをやりたかったはずです。周辺では、オマーンももちろん反対していません。ヨルダンは、「UAEとの国交正常化によってイスラエルのヨルダン川西岸地区の併合が止まるのだったら」という条件付きで反対はしていません。

明確に反対していたのは、イランとトルコですが、前述の通り、実はどちらもアラブではありません。

また、イスラエル側から見ると、世間一般から「アラブ・イスラム世界の代表（あるいは盟主）」とみられているサウジとの国交樹立は、政治的にシンボリックな意味合いがあるのは確かですが、〝実利〟としては得られるものが限られています。そもそも、サウジという国は異教徒が入れるエリアも限られていますから……。

これに対して、UAEにはドバイという国際的な金融・物流拠点があります。そこに、たとえばテルアビブとドバイを結ぶ定期航路を開設すれば、ドバイをハブにした全世界的なネットワークにつなげることもできます。しかもUAEは、サウジに負けず劣らずの大産油国で、金融市場も大きい。だから、この国交正常化はUAEにとっても、イスラエルにとっても、アメリカにとっても〝良い話〟なのです。

「UAEはパレスチナを裏切った」とか、「パレスチナの大義が踏みにじられた」とか、そういう文脈でＵＡＥを非難する人が西側のメディアにも少なからずいます。しかし、ＵＡＥの視点で見ると、「何を寝ぼけたことを言っているんだ」としか思えません。

結局のところ、アラブ諸国の指導者たちは、これまで、都合の悪いことが出てくると、パレスチナ問題やアラブの大義にかこつけて「悪いのは全部イスラエルのせいだ」と言い続けて、自ら責任をとろうとしてきませんでした。その陰では、イランの脅威に怯え続けてきたＵＡＥのように、彼らの責任回避の〝ツケ〟を払わされてきた人（国）たちが、確実に一定数存在しているわけです。

サウジアラビアの「出島」バハレーンのイスラエル接近

このように、イスラエルとの国交正常化問題では、サウジは完全にＵＡＥの後塵(こうじん)を拝しているといっていい状況にあります。しかし、だからといって、サウジとて何もしていないわけではありません。

ここでカギになるのがバハレーンです。

バハレーンの王家のハリーファ家は、サウジの王家であるサウード家と同じアナイザ族出身です。そうしたつながりもあって、バハレーン国家はサウジの強い影響下にあり、事実上の保護国とも言われています。

ただし、サウジに比べると宗教的な規制はかなり緩く（たとえば、外国人の飲酒や西洋音楽も認められています）、サウジにとっての長崎の「出島」のような存在といっていいでしょう。

ところで、２００９年にアメリカでオバマ政権が発足した時点でのバハレーンは、イスラエル国家の存在そのものを認めず、イスラエルとは一切の接触を拒否するというアラブ連盟の建前を維持しており、両国の接触はほぼないことになっていました。

しかし、２０１０年11月、米外交公電「ウィキリークス流出事件」が起きて、２００５年２月のバハレーンがイスラエルと国交正常化に向けて秘密交渉を行っていたことが暴露されます。それによると、ハマド・ビン・イーサ・アール・ハリーファ国王がモサドの関係者と秘密裏に接触し、バハレーンがイスラエルとの国交正常化に向けて準備していることを明かしたうえで、国王はバハレーン政府の公文書で、イスラエルのことを「敵国」、「シオニスト国家」と記さないよう指示していたようです。そして、パレスチナ国家の樹立後には、まず経済関係を正常化する意向を示したとされています。

実際、国王とモサド関係者との会談の前年にあたる２００４年には、バハレーンは米国との貿易協定を結んでおり、米国経由でのイスラエルとの貿易取引が事実上可能になっていました。

また、これとは別に、１９９４年９月にはイスラエルの環境相がバハレーンでの国際会議にオブザーバーとして参加しています。

さらに、2007年10月の国連総会に合わせて訪米したバハレーンのハリド・アル・ハリーファ外相は、イスラエルのリヴィニ外相と会談していました。

これらの事実からも、早い時期から、バハレーンとイスラエルの間には一定のパイプができていたことがわかります。

サウジはバハレーンを使ってイスラエルに近づいていく!?

2011年2月、エジプトの反政府デモに呼応し、バハレーンの首都マナーマでもシーア派の国民を中心に民主化を要求する反政府デモが起こり、いわゆるバハレーン騒乱へと発展しました。

実はバハレーン王家のアール・ハリーファ家はスンナ派で、先ほど申し上げた通りサウジ（厳格なスンナ派の国）の強い影響下にありますが、バハレーン国民の75％はシーア派です（スンナ派・シーア派についてはあとで解説します）。

このため、2011年のバハレーン騒乱では、少数派のスンナ派が政治やビジネスなどの面で優遇されているのに対して、多数派のシーア派は公務員や警察への登用での差別があり、貧困層も多いことなどへの不満が爆発したという一面もあります。

　バハレーンのシーア派の大半はアラブで、イラン系は８％にすぎませんが、イランは「バハレーンは歴史的にイランの領土だった」と主張していることもあり、国王としては、対岸のシーア派国家イランが国内の不満層を扇動し、体制が動揺することは何としても避けなければなりません。

　バハレーン騒乱自体は、３月18日までにサウジの軍事介入で一応終息したものの、対岸のイランがバハレーンに介入してきた場合、サウジの軍事力でこれを撃退することは事実上不可能です。なので、オバマ政権のイラン宥和策はバハレーンにとっても迷惑このうえないものでした。

　これに対して、２０１７年に発足したトランプ政権は、オバマ政権の対イラン政策を根本的に見直すため、同年５月、サウジの首都、リヤドにイスラム諸国55カ国を集めてイラン問題を討議するための「イスラム諸国会議」を開催しました。

　こうした情勢の変化を受けて、２０１７年９月18日、バハレーン政府はイランの脅威に備えることを最優先にするとの立場から、アラブ連盟のイスラエル・ボイコット政策を批判。国王は、ロサンゼルスでサイモン・ヴィーゼンタール・センター主催のハヌカー（ユダヤ教の冬の行事）イベントに参加し、「仮に両国間に外交関係がなくても、バハレーン国民にはイスラエルを訪問する資格がある」と発言します。

ちなみに、バハレーンには古くからユダヤ教徒のコミュニティがありましたが、その多くは、イスラエル建国後、アラブ諸国のイスラエル・ボイコットの影響でバハレーンを脱出しています。しかし、2017年の時点でも30人程度のユダヤ人/ユダヤ教徒が残っており、国王の発言は、彼らのイスラエル訪問への道を開くものでした。

さらに、2018年5月8日、アメリカがイラン核合意から脱退すると、サウジ、UAE、バハレーンの三国は直ちにこれを支持する声明を発表。

これを受けて、バハレーンはイランの脅威に対抗するため、イスラエルとの関係を強化する方向に動き始め、バハレーン外務省は、イランに対するイスラエルの〝自衛権(の行使)〟を支持する声明も発表しました。

翌2019年2月には、ワルシャワで安全保障に関する国際会議が開催され、イラン問題が中心的な議題のひとつとして取り上げられると、バハレーンはじめ湾岸諸国とイスラエルは共にこれに参加しています。

この間の2017年12月、トランプ政権はエルサレムをイスラエルの首都と認め、翌2018年5月14日には米国大使館をエルサレムに移転しましたが、これに対して、アラブ諸国の大半は形式的には反発したものの、実質的に現状追認の姿勢をとったことは前にもお話した通りです。こうしたアラブ諸国の動きを見て、バハレーンも（おそらくはサウジの了承のもと）、イランの脅威に備えることこそが最優先課題であるとして、イスラエルとの国交正常回復に向けて具体的に動き始めます。

２０２０年８月13日、ＵＡＥとイスラエルの国交正常化が発表され、イスラエルはヨルダン川西岸のユダヤ人入植地などの併合計画の一時停止に合意しました。

先を越されたバハレーンは、直ちに「両国の国交正常化は地域の平和と安定に寄与するであろう」と歓迎の声明を発表するとともに、イスラエル機の上空通過を承認して、ＵＡＥに追随する意図を明らかにします。

そして、９月９日にオンラインで開催されたアラブ連盟の定例外相会議では、イスラエルとＵＡＥの国交正常化合意について討議されましたが、パレスチナ自治政府が求めた非難声明は採択されなかったことから、11日、バハレーンも安心してイスラエルとの国交正常化に踏み切ったというわけです。

なお、バハレーンの事実上の宗主国であるサウジは、その領内にメッカとメディナというイスラムの二大聖地を擁し、「イスラムの守護者」を自称しているという立場もあって、現時点では、イスラエルとの国交正常化には慎重な姿勢をとらざるをえません。それでも、バハレーンという「出島」を活用して、イスラエルとの関係を強化していこうとするでしょうし、それ以外の選択肢はとりようがないでしょう。当然、イスラエルはサウジの足元をみてくるでしょうが。

ヒトラーとスターリンなら、どっちがマシ？

イスラエルとUAEの国交樹立に関連してサウジアラビアの話も少し出たので、サウジアラビア（以下、適宜サウジと略）について、少し考えてみたいと思います。

サウジといえば、「アラブの王国で石油大国」、「イスラム教の二大聖地メッカとメディナがある」、「アラブのリーダー的存在で、アメリカをはじめとする西側諸国とも比較的仲が良い」というイメージで語られることが多いように思われます。なかには、「対岸のイランを抑え込むために不可欠な存在だ」と高く評価する人もいるかもしれません。

しかし、私なりにサウジアラビアという国を一言で表すと、たまたまメッカとメディナを領有してはいるものの〝中東の癌〟以外の何物でもない〝ろくでなし国家〟です。どうしてそんな国を「アラブの盟主」などと持ち上げる人が少なくないのか、不思議でなりません。

一般的には、中東情勢でいちばん問題視されるのは、サウジアラビアではなく、ペルシャ湾の対岸に位置するイランだというイメージがあるかと思います。

確かにイランは、〝イスラム原理主義国家〟であり、〝反米〟を国是として掲げ、国際社会で

サウジアラビアの主要都市、周辺国の位置関係

何かと問題を起こしている「厄介な国」ですが、そのことは、イランの宿敵とされるサウジが〝まともな国〟であることの根拠にはなりません。

むしろイランでは曲がりなりにも憲法や議会が存在し、〝近代国家としての外形〟が整えられているのに対して、サウジはそうした制度が未成熟です。とうてい西側世界と共存できるような相手とはいえません。

ですから、イランの脅威を抑えるためにサウジアラビアを〝対抗馬〟として支援するというのは、「ナチスを倒すためにスターリンと手を組む」にも等しい愚行でしかありません。

これは別に感情論で言っているわけではなく、現在のサウジアラビアという国家には〝まともな国〟になりえない〝構造的な欠陥〟があるという点は十分に理解しておく必要があります。

「サウジアラビア」という国名からして問題あり?

サウジアラビアは正式には「アル＝マムラカ・アル＝アラビーヤ・アッ＝スウーディーヤ」という名の王国で、直訳すると「サウード家によるアラビアの王国」です。その名の通り、統治王家であるサウード家が〝絶対〟の国、漫画の『ナニワ金融道』風に言えば、「かまどの下の灰までサウード家のもの」という国です。

多くの日本人にとって、「世襲の独裁国家」といえば、事実上の「金王朝」といってよい北朝鮮が連想されるでしょうが、その北朝鮮ですら「金氏朝鮮」ではなく、公式には「朝鮮民主主義人民共和国」と名乗っています。

もちろん、世界には「リヒテンシュタイン公国」や「ヨルダン・ハシミテ王国」のように、国名に王家の名前を入れている国は存在しますが、この両国は〝憲法と議会を備えた立憲君主国〟で、王室が国家を〝私物化〟しているわけではありません。

これに対して、〝絶対王政〟で、なおかつ王家の名前を堂々と国名に入れているのがサウジであり、これは国家が王家の〝所有物〟であることを何ら恥じることなく公言しているに等しいわけです。21世紀の世の中で、「さすがに国名に自分の名前を入れるのはマズイかな？」という〝理性〟が完全に欠落しています。これだけでも、少し今の世の中からずれている空気が漂っていますね。

誤解のないように言っておきますが、私自身は、日本人として皇室に対する敬愛の念をもっていますし、世界の大半の君主制に対しては、むしろ好意的にとらえています。

ただサウジアラビアの場合、絶対王制下の国王が首相を兼任して行政機関のトップであり、軍の最高司令官でもあり、立法権さえ独占しているわけです。そんな統治体制を肯定する気にはなれません。

サウジアラビアの国家元首、サルマーン・ビン・アブドゥルアズィーズ・アール・サウード国王

国王だけが立法権を持っているということは、つまり、日本の国会のような立法権を持つ議会は存在していないことを意味しています。

一応、サウジ政府側の言い分としては、「イスラム法は神が定めたものだから、人間の手で立法はできない」、「人間に可能なのはイスラム法の解釈だけなので、法律もイスラム法の解釈で運用するしかない」として、

〝立法〟はできないが〝法の解釈〟によって事実上の立法機能の代替としているというわけです。そして、それでも不十分なところは国王が〝勅令〟を出して補うかたちにしています。

このロジックに従うなら、理論上は国王の勅令も〝イスラム法の制約〟を受けることになります。つまり、イスラム法に照らして不適切な勅令は認められないわけです。ところが実際には、国王が日常の統治で何かしらの強い制約を受けることはなく、勅令で好き勝手に新しい法律をつくることができます。

議会もなし、憲法もなし、それがサウジ

また、サウジアラビアには議会だけでなく、憲法もありません。「統治基本法」という憲法に相当する（とされる）ものはありますが、日本国憲法のような成文憲法はこれまで存在したことがないわけです。

では、その統治基本法にはいったいどういうことが書いてあるのでしょうか。

第1条には「サウジアラビアの宗教はイスラムであり、憲法はコーランとスンナである」とあり、第7条に「コーランとスンナが統治基本法およびすべての国家の法（規則）を支配する」とあります。

『コーラン』はご存じの通りイスラムの聖典であり、預言者ムハンマドの口を通じて人々に語られた神（アッラー）の言葉（啓示）をまとめたとされるものです。

一方、「スンナ」は、直訳すると「慣習」の意味ですが、ここでは「預言者ムハンマド（の時代）の慣習ないしは先例」のことで、『コーラン』に次ぐ権威を持つとされています。

ムハンマドがどういう状況で何を言ったか（または、言わなかったか）、どういう判断を下して何をしたか（または、しなかったか）など、スンナの具体例を記録してまとめた伝承（ハディース）は、イスラム法を運用していくうえでの重要な典拠としてムスリムたちの日常生活の規範になっています。

イスラム世界は、スンナ派とシーア派に大きく分かれるという説明を聞いたことがある人は多いと思いますが、このスンナ派というのは、アラビア語では「アフルッ・スンナ・ワ・ル・ジャマーア」といい、「スンナとジャマーアの民」という意味です。「ジャマーア」というのは、直訳すると「集団」の意味ですから、「慣習ないしは先例と集団の民」、すなわち、「預言者ムハンマド以来の慣習ないしは先例を尊重し、共同体の総意に従う人々」ということです。より平たく言えば、〝多数派の常識人〟ということになるでしょうか。

カトリックなどでは、公会議で正統な教義解釈を定め、それに反するものを〝異端〟として排除するという構造になっています。

一方、イスラムの場合は、むしろそれまでの先例に従って淡々と生活してきた多数派の善男善女に対して、彼らの「常識」に異議を申し立て、そこから飛び出ていった集団が分派ないしは異端になってきました。

そうした分派からの批判に対応するために、多数派の側が教義の解釈を整え、最終的にスンナ派が形成されていったというのが歴史的な構図です。

つまり、よく耳にする「シーア派」もこのスンナ派から分派してできたわけですが、それについては後述します。

スンナに忠実なら「サウジ＝イスラムの代表」はありえない

最初期のイスラム共同体は、ムハンマドの圧倒的なカリスマ性のもとにまとまっていました。

しかし、632年にムハンマドが亡くなると、その後継者の座をめぐって、ムハージルーン（ムハンマドがメッカで宣教を始めた時代からの信徒で、メッカで迫害を受けたムハンマドがメディナに逃れたとき、彼に従ってメディナに移ってきた人々）とアンサール（メディナに逃れてきたムハンマドらムスリムの集団をサポートし、のちに改宗した人々）が対立し、両者がそれぞれの指導者を立てて共同体が分裂しかねない状況になります。

このとき、ウマル（のちの第2代カリフ）が「ムハンマドは生前、イスラム共同体の指導者はクライシュ族から出すように、と言っていたではないか。その先例に従おう」となだめ、ムハンマドの側近で教団の長老格だったアブー・バクルを後継者として推しました。

そして、ほとんどの人々がこれに納得したため、アブー・バクルがムハンマドの代理（ハリーファ。日本語では「カリフ」と表記されることが多い）として共同体の政治指導者になりました。

このエピソードは、「ムハンマドの先例と共同体の多数意見に従う」というスンナ派の性格をきわめて象徴的に示すものといえます。

ちなみに、「クライシュ族」というのは、5世紀からメッカを支配していたアラブの部族であり、ムハンマドは10家に分かれたクライシュ族のなかのハーシム家出身でした。

現在のヨルダン王室やモロッコ王室はクライシュ族の血統に属していますが、サウード家はクライシュ族とは全く無関係です。それどころか、18世紀以前については詳細な記録も残っておらず、当時は〝どこの馬の骨だかわからない田舎者〟でしかありませんでした。

ですから、スンナに〝忠実〟であろうとすれば、サウード家ごときの成り上がり者が「イスラムを代表する」ことなど、絶対にありえません。

シーア派の起源は、後継者をめぐる対立から

さて、生前のムハンマドには、自らの女婿（ムハンマドの娘、ファーティマの夫）であるアリーを自分の後継者とする（あるいは、周囲からそうとられかねない）言動がありました。このため、アリーこそがムハンマドの後継者になるべきだという人たちは、カリフの地位がアブー・バクル以降、ウマル、ウスマーンへと受け継がれていくなかで、アリーがなかなかカリフになれないことに不満を持っていました。

特に第3代カリフのウスマーンに関しては、アリーへの支持・不支持とは別に、強い不満を持つ人々が少なからずいました。ウスマーン自身は最初期からの信徒でしたが、彼の出身であるウマイヤ家は、かつてムハンマドの宣教を徹底的に妨害していたという過去があります。それにもかかわらず、ウスマーンがカリフになるとウマイヤ家の人物が行政官として厚遇されたからです。

公平を期するためにウスマーンの立場を弁護しておくと、ムハンマドの死後、イスラムの共同体は征服戦争で急速にその支配地域を拡大したため、文書の作成・管理、各種の計算などの事務処理能力を備えたスタッフが絶対的に不足するという事態になりました。

近代以降の世界では、東大法学部のような〝官僚養成のための高等教育機関〟が設置される

ようになりますが、７世紀のアラビア半島にそんなものは存在しません。そうすると、事務処理能力を備えた人材、すなわち、商人のなかから行政官をリクルートせざるをえなくなります。こうした事情から、大商人の家柄であったウマイヤ家が〝人材の宝庫〟としてイスラム共同体のなかで出世していくという道筋がつくられていったのです。

とはいえ、反ウスマーン派の人々からするとそんなものは納得できるものではありません。彼らは、「ムハンマドの説いた〝神の言葉〟には、〝信徒は出身部族を超えて平等である〟とされているにもかかわらず、ウマイヤ家を優遇している（ように見える）ウスマーンは神の教えに背いている」として、カリフを攻撃します。そして６５６年、ウスマーンはそうした反対派の人々によって暗殺されてしまいました。

ウスマーンの暗殺後、イスラム共同体の有力者の多くは、事件への関与が疑われるのを恐れて後継のカリフになろうとはしませんでした。しかし結局、アリーが反対派の人々に推されてカリフに就任します。

ウスマーンと同じウマイヤ家出身のムアーウィヤは、アリーに対して犯人の処刑を求めましたが、アリーがこれを拒否したため、両者の間で軍事衝突が発生。６５７年にユーフラテス川上流で行われた「スィッフィーンの戦い」では、アリー軍はムアーウィヤ軍を圧倒していましたが、ムアーウィヤ軍から槍の先にコーランを掲げた兵士が歩み出て和平を呼びかけたため、アリー軍の兵士たちの間に動揺が広がり、停戦に追い込まれることになりました。

こうしたアリーの妥協的な態度に失望した人々は、アリーの陣営からも離れて〝ハワーリジュ派〟という分派をつくります。そして、「信仰の敵であるウスマーンを擁護するムアーウィヤも信仰の敵である。そのムアーウィヤと妥協したアリーももはや信仰の敵である」という立場をとり、661年にはアリーを暗殺してしまいました。

その結果、最大の有力者として残されたムアーウィヤがカリフに就任すると、ムスリムの多数派はこれを是認し、ウマイヤ朝が成立します。

一方、ムアーウィヤのカリフ就任をあくまでも認めず、アリーの子（預言者ムハンマドの孫）こそが、アリー死後の後継カリフになるべきだと主張する人々は〝シーア・アリー（アリー派）〟を形成して、ウマイヤ朝に対抗しました。このシーア・アリーが、現在の〝シーア派〟の起源です。

ちなみに、現在イランでは国民の9割がシーア派ムスリムですが、これは、16世紀にイランの地で建国されたサファヴィー朝がシーア派の教義を国教として採用したことが大きいのです。なので、シーア派がイランの民族宗教ということではなく、アラブ世界にもシーア派の信徒はそれなりの数が存在しています。

国王の権限は本来、イスラム法の枠内に限定されている

さて、サウジアラビアに話を戻すと、統治基本法の第1条と第7条に基づけば、国王も建前上はコーランとスンナに則り、〝イスラム法の枠内〟で国家の運営をしなければならないことになります。

実は、スンナ派の古典法理論によれば、共同体の首長（カリフ）はイスラム法学者として一定の水準をクリアしていることが求められていますが、その一方、彼が独断でイスラム法の解釈を変更したり、恣意的（しいてき）に運用したりすることは厳に戒められています。

イスラム法を運用して国家を運営していくためには、あくまでも、コーランやスンナの文言、法学者たちの合意が得られたオーソドックスな解釈、そして、そこから必然的に導き出される（＝誤解の余地がない）論理的な推論などが根拠となっていなければなりません。

そして、信徒たちは首長がイスラムの法を順守し、その枠内から逸脱しない政治を行う限りにおいて、首長に従う義務を負うということになっています。

いうなれば、「イスラム法の解釈（往々にして、それは我々のイメージする〝立法〟と重なっています）は法学者が行い、カリフ（ないしは地方君主）はそれに従って法を実務的に運用するというかたちで、権力の分立を図る」というのが、スンナ派国家の〝建前〟です。

ただし、現実には法学者を無視して専制を行う君主は数多いましたし、何より、一般国民の民意を国政に反映させる制度的な担保は何もありませんでした。ですから、この構図を近代国家の三権分立と比定するのは、やはり無理があります。

リーダーを絶対視するシーア派

スンナ派の古典理論において、こうした国家モデルが形成された背景には、シーア派への〝カウンター〟という側面がありました。

ここでシーア派の国家モデルについても確認しておきましょう。

661年にムアーウィヤがカリフとなってウマイヤ朝を開くと、アリーの子、ハサンはムアーウィヤと和平を結びましたが、669年にハサンは亡くなります。

その後、680年にムアーウィヤも亡くなると、ハサンの跡を継いだ弟のフサインは、ムアーウィヤの息子でウマイヤ朝第2代カリフのヤズィード1世に対して叛旗を翻しました。しかし、フサインは、イラク南部、「カルバラーの戦い」に敗れて殺されます。以後、シーア派はスンナ派とは全く異なる思想の展開をたどっていきます。

その後の整備されたかたちでのシーア派の国家論では、「イスラム共同体の首長（イマーム）

はアリーとファーティマの子孫でなければならない」とされるようになりました。

その理由として、彼らは、「ムハンマドが自らの女婿と認めたアリーこそが、当時のイスラム共同体においてあらゆる面で最もすぐれた人物であり、イスラムの教義にも精通し、それゆえ、最も適切な解釈ができる」としたうえで、「そうした資質はアリーの血統にのみ受け継がれているからだ」と説明しています。

そこからは、「イマームは共同体において最もすぐれた人物の判断なので、他の信徒全員が異を唱えたとしても、イマームに従うことが正しい」というロジックが導き出されます。

スンナ派とシーア派がイスラム世界を二分しているとはいえ、世界に17億人以上いるとされる全イスラム教徒の約９割を占めているのはスンナ派です（ちなみに、イランは反対に国民の約９割がシーア派）。

少数派のシーア派としては、「自分たちのイマームこそがイスラム共同体の首長でなければならない」と主張するためには、イスラム共同体の圧倒的多数派が首長として認めている（スンナ派の）カリフよりも、自分たちのイマームが優れているという理由付けをしなければならなかったわけです。

サウジアラビアにスンナ派の「盟主」を名乗る資格なし！

シーア派内でも、誰をイマームと認めるかで分派が生じました。

シーア派最大勢力の十二（じゅうに）イマーム派では、874年、父親で第11代イマームのハサン・アスカリーの葬儀に参加したのちに消息不明になった第12代イマームのムハンマド・ムンタザルの死を認めず、「ムンタザルは一時的に〝お隠れの状態（ガイバ）〟になっているだけで、世界の終末には再臨して（シーア派の）人々を救済する」としています。そして、イマームがガイバしている期間は、一般信徒はイスラム法の解釈に関して、アーヤトッラー（イマームの代理人たる高位の法学者）などの判断に全面的に従うものとしました。

いずれにせよ、シーア派の国家モデルは、「イスラム法の解釈権はイマームなりアーヤトッラーなり、ごく少数の限られた人間が独占し、一般信徒はそれに盲従すればいい」というものです。ある意味、〝前衛党が大衆を指導する〟という旧共産圏の国家モデルにも通じるところがあります。

これに対して、「スンナとジャマーアの民」としてのスンナ派は、特定の個人や少数の人々がイスラム法の解釈権を独占するのではなく、あくまでも、「先例と集団の合意を共同体運営の基礎とする」のが建前です。

したがって、サウジがいやしくもイスラム世界の圧倒的多数派であるスンナ派の「盟主」を名乗るのであれば、サウード家の国王がイスラム法を恣意的に解釈することは絶対に認められません。本来であれば、常にスンナ派イスラム世界のコンセンサスを得られるような政策を行わねばならないはずなのです。

しかし、実際には、先ほども申し上げた通り、サウジの国王が他から強い制約を受けることはありませんし、王権サイドの〝解釈〟に対してサウジ国内のイスラム法学者が異議を唱えることは、きわめて困難です。

とはいえ、現実問題として行政を円滑に機能させるには、すべての実務を国王が行うわけにはいきません。

そのため、大臣や知事などの重要なポストに王族の有力者を指名し、基本的には王族内でコンセンサスをとりながら国を運営していくというのが現実的な対応になります。ただし、王族以外の人間が重要ポストに抜擢（ばってき）されることは基本的にありません。

逆に言うと、この国王・王族による国家運営のバランスを崩すような人間がそこに混ざると、体制が非常に不安定になってしまいます。

実際、今のサウジアラビアにはそのバランスを崩しているムハンマド・ビン・サルマーン皇太子（王太子）という人物がいるのですが、彼については後述します。

悲しいくらいに弱いサウジ軍

先ほども述べましたが、スンナ派イスラム世界の〝建前〟としては、「君主の権威・権力はあくまでも〝イスラム法の枠内〟にあり、君主はイスラム法に則って政策実務を遂行する」となっていました。しかし、現実の問題としては、暴君による圧政も珍しくはありません。

そこで、これを追認するためのロジックとして、14世紀の法学者、イブン・ジャマーアは、モンゴル帝国の侵攻という未曽有の大混乱のなかで、「スルターンによる40年の専制は1時間の無政府状態より良い」として、「最低限、社会秩序の安定さえ維持してくれるのであれば、その君主を認めざるをえない」という立場をとりました。

となると、現在のサウジ国家にその能力があるかどうかが問題になってくるわけです。

サウジアラビアには国軍と国家警備隊という大きく2つの軍隊があります。

国軍は他の国と同じ一般的な軍隊であり、外敵からサウジアラビアを守るのが役目です。

一方、国家警備隊は国内の治安維持が主要な任務ですが、王族の警護と軍の反乱抑止という重要な役割も担っています。もともとはサウード家の譜代家臣的なナジュド（アラブア半島中央の砂漠地帯）の部族民兵中心の組織なので、サウード家に対する強い忠誠心を持っているのが特徴です。

一般国民中心の国軍と、サウード家に近い人々が中心の国家警備隊を互いに牽制させる体制になっており、その上に軍の最高司令官である国王がいます。クーデター防止の観点から国軍の重要ポストに王族が任命されることはほとんどありません。

首都リヤドをはじめとする主要都市の防衛は国家警備隊が主に担当し、国軍の実戦部隊主力は国境付近を中心に配置されています。

このように書くと、とりあえず、サウジも安全保障面では制度が整っているかのようにも見えます。また、資金だけはオイル・マネーで潤沢ですから、カネにモノを言わせていろいろな国から武器を買えるため、装備などの外見はもっともらしく取り繕うことができます。しかし、実際には、サウジの軍事組織は、今も昔も、実戦では全く使い物にならないくらい〝弱い〟のです。

たとえば、１９７９年11月に発生したハラーム・モスク襲撃事件は、サウジが、メッカとメディナという「イスラムの二大聖都の守護者」を自称していながら、実際にはそんな能力が全くなかったことを白日の下にさらすことになりました。

イスラムの最大の聖地はメッカですが、そのメッカのなかでもピンポイントの聖地となっているのが、カアバ（カアバ神殿）です。そのカアバの周囲を保護し、カアバに礼拝するためのモスクがハラーム・モスクで、日本語ではしばしば「聖モスク」とも呼ばれています。

事件は、１９７９年11月20日、ハラーム・モスクに、巡礼者に交じって輿（こし）を担いだ若者の集団が現れたところから始まります。

ムスリムのなかには、遺体を埋葬する前に聖地を巡礼させてほしいと願う人も珍しくはなく（メッカ巡礼はムスリムにとって、一生に一度は果たすべき宗教的な義務ですが、実際には、巡礼できないまま生涯を終える人も多いのです）、この若者たちもそのためにやってきたと多くの人々は考えていました。

ところが、遺体を載せていると思われた輿には、人型に包まれた武器が乗せられており、若者たちはその武器を手にハラーム・モスクを襲撃したのです。彼らは礼拝のために集まっていた信徒約1000人を人質に立てこもり、その過程で、抵抗した法学者が殺害されます。

カアバ神殿

もちろん、サウジ政府は、直ちに犯人グループの鎮圧を決意しました。
しかし、神聖なモスクのなかでの武力行使、ましてや、そこに流血が伴うことは、イスラム法に照らして許されるものではありません。そこで、まずは、高位の法学者から、イスラム法に照らしても「聖モスクへの突入やむなし」との見解（ファトワー）を得る必要があり、このため、サウジが犯人グループの鎮圧に乗り出すまでに半日が空費されました。

翌21日、モスクへの被害を最小限にするとともに、「人質の生命を守り、犯人も生け捕りにするように」との国王の命令のもと、サウジの陸軍、国家警備隊、治安警察計５万人を動員しての鎮圧作戦が開始されます。しかし、武装集団は激しく抵抗し、作戦は遅々として進みません。24日になると、鎮圧側は地上部分を制圧することには成功したものの、武装集団は２００以上もの部屋があるモスクの広大な地下に逃げ込み、事態は長期化する様相を見せ始めました。

このため、単独での事件鎮圧を断念したサウジ政府は、パキスタン陸軍の特殊部隊に応援を要請します。ちなみに、パキスタン陸軍は印パ戦争でインドと戦って連戦連敗した過去があるので、世界的には決して精強な軍隊とはいえないのですが、それでも、サウジ自身は、自分たちの国軍に比べればはるかに強いと認識していたわけです。

さらに、サウジとパキスタン軍は、フランス国家憲兵隊治安介入部隊の隊員からも作戦計画の指導を受け、12月４日、ようやく、鎮圧に成功するというありさまでした。

イランと戦争すれば、サウジに勝ち目はない！

一連の事件に衝撃を受けたサウジ政府は、特殊部隊の育成をはじめとする国家安全保障体制の整備を急いだものの、１９９０年8月、イラク軍によるクウェート侵攻が起きた際には、単独では何もできませんでした。

イラクもクウェートも、人口の多数派がムスリムであり、いわゆるアラブ国家です。日頃、「(スンナ派)イスラムの盟主」や「アラブの盟主」などと偉そうなことを言っているなら、こういうときこそ、アラブ諸国の平和を乱したイラクのサダム・フセイン政権に対して、サウジが先頭に立ち、イラク軍をクウェートから駆逐すべきでしょう。

しかし、このとき、サウジにはその意思も能力もないことが白日のもとにさらされました。最終的にサウジは、アメリカを中心とする多国籍軍に参加し、〝戦勝国〟の末席に滑り込んだものの、軍事的には全く使い物にならない「粘土の足をした象」であることがあらためて確認された格好です。

さらに、2015年から続いているイエメンでの内戦にサウジは介入していますが、イランの支援を受けているシーア派系武装組織の〝フーシ(アンサール・アッラー)〟との戦闘では、捕虜となったフーシの兵士を〝虐待・虐殺〟することはできても、フーシの軍事組織に対して決定的な打撃を与えることはできていません。

それどころか、2019年9月14日には、サウジ東部のアブカイクおよびクライスにある国営石油会社サウジ・アラムコの石油施設2カ所が、フーシによる10機の無人機(ドローン)の攻撃で大きな被害を出しています。

攻撃を受けたアブカイクはペルシャ湾から少し内陸に入ったところにあり、ここから、紅海に面した港町のヤンブーまでは全長約１２００キロのイースト・ウェスト石油パイプラインが走っています。

このパイプラインは、ホルムズ海峡有事の際のバックアップ輸送路としても想定されているものですが、それが（イランの支援を受けているとはいえ）民兵組織のフーシにやすやすと攻撃されてしまったということからも、サウジの軍事能力の程度がわかろうというものです。

したがって、客観的に見て、サウジとイランがまともに戦争に突入したら、外国からの強力な支援がない限り、軍事大国のイランには全く歯が立たないであろうことは明白です。有事の際には、サウジの政府と国軍が国民の生命財産をきちんと守れるとは到底思えません。イスラム世界において、暴君・暴政の免罪符となる「最低限、社会秩序の安定さえ維持してくれる」能力がはたしてサウジにあるのか、はなはだ疑問なのです。

政党禁止、民意は一切関係ナシ！

さて、サウジアラビアで国王と王族有力者が大きな権力を持っていることは前述の通りですが、一方で一般国民の政治参加はどうなっているのでしょうか。民意はどのようなプロセスを経て政治に反映されるのでしょうか。

結論から先に言えば、国民は政治に参加できず、政党さえも結成できません。

一党独裁のファシズム国家でも政党は存在しており（一党しかありませんが）、所定の手続きを経れば、その党員になることも（少なくとも理論上は）可能です。そして、一党独裁国家で支配政党の党員になれば、そこから、限定的な分野でなら、政策に関与できる糸口もつかめるかもしれません。あるいは、政策そのものの決定に関与できなくても、運用面での裁量が認められれば、それによって民意を行政に反映することも不可能ではないでしょう。

しかし、政党をつくることさえも禁止されているサウジアラビアでは、そうしたキャリアパスは完全にふさがれています。

もちろん反政府を訴えれば取り締まりの対象になりますから、国民に「政治活動の自由」や「表現の自由」などというものはありません。

ところで、先ほど「日本の国会のような立法権のある議会はない」と述べましたが、議会に代わるものとしては諮問評議会（シューラー評議会）があります。

632年に預言者ムハンマドが亡くなったあと、生前のムハンマドと直接交流して苦楽を共にした「サラフ（教友）」と呼ばれる人々による長老会議のようなものが存在していたことは歴史的事実です。

イスラム国家としてのサウジアラビアは、預言者ムハンマド以来の伝統・慣習の継承を重視するというのが建前ですから、諮問評議会も「サラフたちによる伝統的な長老会議を継承したもの」という位置づけになっています。

ちなみに、サラフの長老会議がイスラム初期に存在していたことを根拠に「イスラムには最初から民主的なシステムや議会の原型があった」と主張する人たちがいます（やたらとイスラムを擁護したがる人たちに多い主張です）。

しかし、シューラー評議会は結局のところ長老たちの寄り合いです。日本でたとえるなら自民党の派閥の長が料亭に集まって話し合いをしているのを「議会」だと言っているようなものです。これを民主的な議会と同等の存在とみなすのは、かなりの無理があります。

同様に今日のサウジの諮問評議会も民主国家の議会とはほど遠いものです。

議員は国王の〝勅選〟であり、（何度でも繰り返しますが）彼らには立法権がありません。端的にいえば、国王が「こういうことをやろうと考えているけど、どうだろう？」と尋ねてきたことに「はい、王様。大変結構でございます」と答えるだけの存在です。

独裁国家の北朝鮮でも選挙は行われています。有権者全員が指定の候補に投票する「１００％投票、１００％信任」という茶番のような選挙ですが、一応は実施されているわけです。

私たち民主国家の人間からすると一見無意味な選挙に思えますが、それでも選挙をする以上はかたちだけでもそれぞれの選挙区に候補者を立てる必要があります。候補者を立てるためには、その過程で、明らかに無能な者や問題のある者を排除して、有能な者（＝政権にとって役に立つ者）をピックアップするという〝選別〟が必要になります。

したがって、国民に政権や政策の選択の余地はないとしても、形式的にせよ、国民が個々の候補者を承認するという手続きをとる以上、政権側としても、誰が見ても明らかに問題がある人物を候補として擁立するわけにはいきません。そんな人物を「候補者」として擁立することは、政権の権威を自ら損ねることになるからです。

ところが、サウジアラビアの場合、そうした最低限の〝選別〟すら行われていないわけです。極論を言えば、どれほど無能で人格的に問題があろうとも、国王の名において任命されてしまえば問題ないということになってしまいます。

モスクさえ破壊するワッハーブ派がサウジ社会を規制!?

サウジアラビアはその国名の通り〝サウード家が絶対〟の国家なのですが、そのサウード家の支配はイスラムの一宗派である「ワッハーブ派」が強い影響力を持っています。

ワッハーブ派とは、単純化して言うと、もともとはスンナ派の復古主義的な改革運動から始まった宗派であり、いわゆるイスラム原理主義のルーツとされることもあります。

ただし、サウジアラビアはワッハーブ派の教団国家というわけではありません。実際、サウジ国民にはワッハーブ派以外のムスリムもたくさんいますし、国家の運営もワッハーブ派の教義のみに基づいて行われているわけではありません。

統治基本法に記されているように、サウジアラビアでは『コーラン』とスンナがすべてに優先するのですが、問題は、このワッハーブ派による『コーラン』とスンナの〝解釈〟がほぼ絶対視されているところにあります。

ワッハーブ派の人員は、行政機関や裁判所、教育機関、モスクなどの国の重要な場所にもれなく配置されています。そのため、基本的には彼らのイスラム法解釈がサウジアラビアの社会全体を規制していくことになるわけです。

では、ワッハーブ派とはどのような考えを持つグループなのでしょうか。

ワッハーブ派が重視しているのは、

①タウヒードの宣教
②勧善懲悪の実践
③聖法（シャリーア）の厳格な施行
の３点です。

タウヒードというのは、「アッラーのほかに神なし」というイスラムの根本理念、「神の唯一性」のことで、多神崇拝を徹底的に排するだけではなく、世界のすべてが神によって創造され、そしていつの日か終末のときを迎える、という考え方です。

イスラムに限らず、ユダヤ教もキリスト教も、いわゆる一神教では、唯一絶対なる神が天地万物を創造し、世界のすべてを支配しており、神以外のものを崇めてはいけないとしています。いわゆる「偶像崇拝の禁止」という考え方ですが、これが行き過ぎると一般市民の生活にも支障が出てきます。

神が天地万物を創造したということは、〝神〟と〝神以外の被造物〟は厳格に区別されるということです。これを文字通りに解釈すると、神には人間のような身体はないということになります。たとえば、〝神の手〟は、神によって創造されたものであり、創造されたもの（＝被造物）である限り、神そのものとは区別されなければならないからです。

したがって、コーランに登場する〝神の手〟という表現はあくまでも比喩であり、神には人間がイメージできるような姿かたちはないということになるのです。

ところが、理屈はそうであっても、一般庶民のムスリムからすると、姿かたちのない理念だけを拝むということはなかなかできません。やはり何かしらの〝祈りの対象〟が目に見えるかたちで存在している必要があります。そのため、イスラムも「礼拝はメッカの方向を向いて行う」とせざるをえなかったわけです。

さらにローカルなムスリムの世界では、たとえば「あの集落にいる聖者に頭をなでてもらったら体調が良くなった」や「あの泉の水を飲んだら身体の痛みがなくなった」という類の話も珍しくなく、聖者廟（せいじゃびょう）などへの参詣が行われています。

スンナ派でも大多数の人はそうした自然発生的な民間信仰を許容していますが、タウヒードを絶対視するワッハーブ派はそれらを絶対に認めず、各地で聖者廟を破壊して回りました。

聖者廟だけではありません。ワッハーブ派は、一般ムスリムの墓でさえ、墓石は偶像崇拝につながるものとして否定しますし、たとえば預言者ムハンマドの墓に行って誕生日のお祝いをすることも認められません。祈祷（きとう）に際して預言者や聖人、天使について言及することさえ、多神教の徴候として非難されます。

はなはだしくは、イスラム教の礼拝施設であるモスクについても否定的で、モスクへの奉納は禁止されています。実際、ワッハーブ派はこれまで必要に応じてモスクさえも破壊してきました。

ワッハーブ派の理解では、そうした行為は、いずれも、イエスを神と崇めるキリスト教の偶像崇拝の真似事にすぎないからです。

『コーラン』とスンナに基づかないものは全否定！革新は〝悪〟！

一方、ワッハーブ派の重視する③の「聖法の厳格な施行」についてですが、ここでいう「聖法」とは、具体的には『コーラン』とスンナのことです。

ワッハーブ派（をはじめとするイスラム原理主義者）は『コーラン』とスンナを厳格に守り、「サラフの時代」に回帰することを理想としています。サラフの時代への回帰を目指すことを「サラフィー主義」と言います。これはワッハーブ派とそれに続く、いわゆるイスラム原理主義の基本的な考え方です。

サラフィー主義では、あくまでも「サラフの時代」、すなわち7世紀のアラビア半島のイスラム共同体が〝理想〟であり、それ以外の要素はすべて、「除去すべき夾雑物（きょうざつぶつ）」であり、「逸脱」なのです。

たとえば、1990年代後半、アフガニスタンの大半を支配していた原理主義勢力のターリバーンが、支配地域の住民に対して、女子教育や映画、凧揚（たこあ）げなどさまざまなことを禁止していたことが話題になりました。あれはいずれも、『コーラン』とスンナに「やってもよい」との記述がないことが理由です。

近代国家では、どのような行為が犯罪とされ、いかなる刑罰が科せられるか、犯罪と刑罰の具体的内容があらかじめ法律によって規定されていなければならないという大原則があります。逆にいえば、法律上、犯罪として規定されていない行為は、（道義的な問題は別として）何をやっても公権力が処罰をしてはいけないわけです。

たとえば、現在の日本では、正式に結婚している妻がありながら、別の女性と肉体関係を結ぶ〝不倫の恋〟は、道義的には非難されるでしょうし、離婚の原因となり、民事裁判で慰謝料などを請求されることにもなるかもしれません。

しかし、不倫の現場に警察が踏み込んで二人が逮捕されることはありません。姦通（かんつう）罪が廃止されて以来、日本の法律には、不倫を取り締まるための規定は存在しないからです。

しかし、イスラム原理主義者たちは、たとえ『コーラン』とスンナで禁止されていなくても、やってもよいとの明文規定があること以外はやってはいけないと考えます。

かつてターリバーンが禁止した凧揚げの風習は、アフガニスタンでは古くから行われてきましたが、西暦7世紀のアラビア半島では行われてきませんでした。当然、コーランやスンナには凧揚げについての言及はありません。よって、「凧揚げという行為をしてはならない」というのが彼らの考え方です。

こうした発想のもとでは、『コーラン』とスンナに基づかないものはすべて「逸脱（ビドゥア)」であり、一切排除しなければなりません。「サラフの時代のイスラムは素晴らしかったが、その後はペルシャや西洋社会などの影響を受けて〝逸脱〟し、すっかり堕落してしまった」という意識が彼らにはあるのです。

現在でこそ一般的にイノベーションや革新は「良いこと」だとされています。しかし、近代以前の世界では「伝統からの逸脱は悪である」という考え方のほうがむしろ一般的でした。

ワッハーブ派は、それを極端なかたちで現代に引き継いでいます。

ユダヤ教やキリスト教などの他宗教はもちろん、シーア派をはじめとする他のイスラム宗派も認めず、ムスリムでさえ、彼らと意見を異にする者は「カーフィル(不信仰者。ムスリムにとっては最大の侮辱のひとつ)」と呼ばれ、「イスラムの仮面をかぶった詐欺師だ」と激しく非難されてしまうのです。

もちろん、ワッハーブ派の極端な原理主義的な価値観を、そのまま、21世紀の国家運営に適用することは非現実的です。しかし、サウード家の統治を支え、サウジアラビアの社会を規制しているのは、こうした考え方の人々だということは十分に理解しておく必要があります。

略奪・征服を「聖戦」だと正当化してサウジ建国

ここで、少し、ワッハーブ派の歴史と、それがサウジ国家の建国と結びついていった過程についても、簡単に振り返っておきましょう。

ワッハーブ派は18世紀半ばのアラビア半島でイブン・アブドゥル・ワッハーブ（1703～1792。以下、ワッハーブ）というスンナ派のイスラム法学者によって創始されました。

ワッハーブは自らのイスラム法解釈（前述の原理主義的で厳格な教義）を信徒たちに受け入れるよう強要し、それに従わない者は「殺されるべきであり、その妻や娘は犯されてもやむをえず、財産は没収されるべきだ」と主張しました。

これは、今日の日本人の価値観からはもちろん、当時の大半のムスリムにとっても、過激で受け入れがたいものでした。このため、ワッハーブの主張は危険思想として、彼は宣教活動中に故郷の村を追放され、放浪の身になりました。そのときに彼を保護したのが、当時まだアラビア半島中央の小部族のリーダーに過ぎなかったサウード家です。

サウード家はワッハーブ派の保護者となる一方でその教義を活用し、周辺部族への略奪・征服を「ジハード（聖戦）」の名のもとに正当化して、アラビア半島で勢力を拡大していきました。

このサウード・ワッハーブ連合によって建国されたのが現在のサウジアラビア王国のルーツと

もいうべき第一次・第二次ワッハーブ王国（1744〜1818、1823〜1889）です（サウード王国とも）。

しかし、ワッハーブ王国は、その原理主義的な過激さを危険視され、オスマン帝国やエジプトによって滅ぼされてしまいました。

王国滅亡後、サウード家も一時没落しますが、生き残ったイブン・サウード王子が1902年にリヤド（現在のサウジアラビアの首都）でサウード家を復興します。

イブン・サウード

その後、イブン・サウードはリヤドを拠点に再び「ジハード」を繰り返してアラビア半島で勢力を拡大し、1932年に現在のサウジアラビア王国を建国して初代国王になりました。

ところで、「ジハード」と聞くと過激なテロを連想するかもしれませんが、もともとは「努力」や「奮闘」という意味です。つまり、「イスラム教徒として正しい生活を行うために努力すること」を指します。

たとえば、金曜日の礼拝の時間にちゃんとモスクに行く、断食の時期にはしっかりと断食を守る、貧しい人には喜捨（きしゃ）をする、毎日一生懸命お祈りをする――本来はこうした行為もジハードです。イスラムの共同体が外敵から攻撃された際に身を挺して守るなどの「聖戦」にあたる行為は、あくまでもジハードのひとつでしかありません。

サウード家がアラビア半島の真ん中で好き勝手に暴れ回ったり、イスラム過激派が自爆テロを行ったりすることを「聖戦」の美名のもとに正当化するのは「ジハード」のかなり偏った使い方なのです。

なぜサウジとアメリカは友好関係になった?

サウジアラビアのことを「第一次世界大戦後に欧米列強が国境線を勝手に決めてできた国」や「イギリスがつくった国」などと誤解している人がたまにいます（驚くべきことに「ジャーナリスト」という肩書きを持つ人のなかにもいます）。

しかし、ここまでの説明でおわかりいただけたかと思いますが、それは根本的に間違っています。サウジアラビアはイギリスを含む欧米列強につくられた国ではありません。サウジアラビア王国の建国は、イギリスの中東政策の敗北とみなすべき現象だからです。

第一次世界大戦の際、イギリスがパレスチナの地をめぐってアラブ、シオニスト、フランスに対して〝三枚舌外交〟を展開したことはよく知られています。このうち、イギリスの対アラブ工作の対象となったのは、メッカの太守でハーシム家の当主だったシャリーフ・フサイン（フ

シャリーフ・フサイン　ヘンリー・マクマホン

サイン・イブン・アリー）でした。「シャリーフ」というのは預言者ムハンマドの子孫であることを示す尊称です。前にも少し触れましたが、特にハーシム家は、クライシュ族のなかでも預言者ムハンマドの直系の家系であり、イスラム世界では名門中の名門です。アラビア半島中央部のナジュド砂漠を放浪していた田舎の荒くれ者にすぎないサウード家とは、文字通り身分や格が違いすぎます。

このハーシム家の権威を利用して、第一次世界大戦中、アラブを糾合し、オスマン帝国に対して反乱を起こさせるための秘密工作として行われたのが、「フサイン・マクマホン書簡（フサインと、カイロ駐在のイギリスの高等弁務官、ヘンリー・マクマホンとの間で交わされた協定）」です。

結果的に、シャリーフ・フサインはイギリスの工作に応じて、オスマン帝国に叛旗を翻し、メッカとメディナの二大聖地を含むアラビア半島の紅海沿岸部に「ヒジャーズ王国」を建国しました。

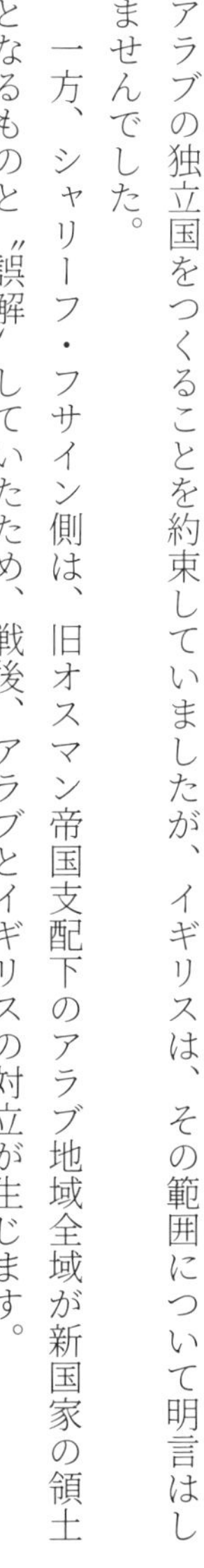

フサイン・マクマホン書簡では、シャリーフ・フサイン側に、オスマン帝国を打倒したあと、アラブの独立国をつくることを約束していましたが、イギリスは、その範囲について明言はしませんでした。

一方、シャリーフ・フサイン側は、旧オスマン帝国支配下のアラブ地域全域が新国家の領土となるものと〝誤解〟していたため、戦後、アラブとイギリスの対立が生じます。

その過程で、イギリス側の妥協の産物として、イギリスの委任統治領となったイラクにイラク王国をつくってシャリーフ・フサインの息子のファイサルを国王に擁立。パレスチナのヨルダン川東岸の地にトランスヨルダンを創設して、ファイサルの兄のアブドゥッラーをトランスヨルダン国王として擁立しました。

ファイサル１世

イギリスとしては、ヒジャーズ、イラク、トランスヨルダンのハーシム家3王国を親英国家として育成し、中東の利権を確保しようと考えていたわけです。

ところが、１９２３年に成立したトルコ共和国が、翌１９２４年、旧オスマン帝国の帝室が継承してきたカリフ制度を廃止。これを受けて、ハーシム家の当主として、「イスラムの盟主」になるとの野望を捨てきれなかったシャリーフ・フサインは、唐突に「カリフの地位は自分が継承する」と宣言してしまいます。これにはイスラム世界でも反発が強く、ヒジャーズは大混乱に陥りました。

ちょうどこのタイミングで、アラビア半島各地で領土を拡大しつつあったナジュドのイブン・サウードは、1925年、混乱に乗じてヒジャーズ全域を制圧し、ハーシム家の王国を亡ぼしてしまったわけです。

アブドゥッラー１世

当然のことながら、自分の縄張りを荒らされたイギリスは大激怒します。
そして、1928年に旧オスマン帝国領の油田開発競争を制限する「自粛条項」を含んだ赤線協定が締結された際には、サウード家が制圧したペルシャ湾岸（旧オスマン帝国領）での油田開発を事実上禁止にしています。
この時点では、ペルシャ湾岸の油田開発はほとんど手付かずの状態でしたが、イギリスは今後、各国の石油会社がサウジアラビアの油田開発に出資して、利益を得ようとする動きをあらかじめ封じておこうとしたわけです。
ところが、1933年にアメリカ系の石油会社スタンダード・オイル・オブ・カリフォルニア（現シェブロン）の子会社カリフォルニア・アラビアン・スタンダード・オイル・カンパニー

〈通称カソック〈ＣＡＳＯＣ〉〉が抜け駆けをしてイブン・サウードとの合意書に調印し、サウジアラビアの石油利権を獲得します。

ここで今日につながるアメリカとサウード家の緊密な関係ができたわけです。イギリスに締め出されたサウジアラビアが新興勢力のアメリカの石油会社と組んだことが、アメリカとサウジアラビアの緊密な関係の原点だといえます。

その後、カソックは１９３６年にテキサスの石油会社テキサコ（現シェブロン）と合弁会社をつくってサウジアラビア東部の都市ダーランで石油を掘り当て、アラビアン・アメリカン・オイル・カンパニー（通称アラムコ）という会社をつくりました。

アメリカとイギリスはアングロサクソンとして一枚岩だと思っている人も多いようですが、少なくとも、中東に関しては１９５０〜１９６０年代前半ぐらいまで、イギリスの最大の敵はアメリカでした。当時のアメリカは、さほど熱心に中東に関与していたわけではありませんでしたが、イギリスの中東政策はアメリカとの国益とぶつかることも多く、イギリスの行動を妨害することも珍しくありませんでした。

逆に言うと、サウジとアメリカは、イギリスという〝共通の敵〟がいたからこそ、関係を深めていくことになったのです。

〝本音〟と〝建前〟がもたらす腐敗の構造

こうしてアメリカ系の石油会社によって1950年代以降にサウジアラビアの油田開発が徐々に本格化していくと、サウード家が石油利権を独占する構造がつくられていきます。かつては地方の小豪族だったサウード家がここでいきなり大金持ちになるわけです。

そうなると、やはり〝本音〟ではいい暮らしがしたくなります。

ところがサウード家による統治を裏付けるワッハーブ派の厳格な理念は、国家を運営していくうえでの〝建前〟として降ろすわけにはいかず、その矛盾が徐々に拡大していきます。サウード家の統治体制と原理主義的なワッハーブ派の理念をともに抱えているこの二重構造こそが、まさに、サウジアラビアの〝構造的な欠陥〟なのです。

貧しい遊牧国家として出発した当初は、王族が権力を独占し、厳格なイスラム原理主義のもとでの団結を求める部族社会的・前近代的な体制でも、国民はそれに耐えることが可能でした。

しかし、石油開発でお金持ち国家になり、王室だけがその利益を吸い上げる体制ができあがっていくと、当然のことながら、国民の間からは「王族だけで富を独占していいのか。国民にも分け与えてくれ」という不満が出てきます。

1950年代にアラムコの労働者が待遇改善を訴える労働運動を起こすと、その過程で「憲法をつくれ」、「議会を開設してほしい」という近代国家の国民として当然の要求も出てくるようになりました。

さらに１９６０年代に入ると、王族の一部の人間は欧米に留学して〝外の世界〟を知ってしまいます。すると、「さすがに今のような前近代的な国家体制のままだとマズイのでは？」という声が王族内からも出始め、立憲改革を要求する「フリー・プリンス（自由を求める王子）」と呼ばれる人々が登場してきます。

都合の悪いことはすべて〝他の誰か〟のせい

しかし、サウジ政府はこうした国民の不満の声や原理主義国家の限界と真摯(しんし)に向き合い、ある程度民意が反映されるような仕組みをつくろうとはせず、あいかわらず、一般国民が政治に参加できない体制を維持し続けました。

国民の不満が高まったとき、独裁国家の側はたいてい「悪いのは自分たちじゃない。〝他の誰か〟が悪いんだ」と言い張ります。独裁国家は国民の批判の矛先を逸らすことには熱心ですが、彼らの辞書には「反省」という言葉はありません。

念のために言っておきますが、これは何もサウジアラビアに限ったことではありません。アラブ世界の大半の国は一党独裁の歴史が長いため、政権批判を許さない代わりに、外部の敵を探してきて、国民の目をそちらに向けるということを常態化してきました。ここで、〝悪者〟としてよく利用されるのが「アラブの宿敵」イスラエルであり、その庇護者と彼らが目しているアメリカです。

ＵＡＥのところでも述べましたが、〝アラブの大義〟では、イスラエル国家の存在そのものを認めず（三不政策）、パレスチナの地を不当に占領しているシオニストとは常に戦争状態にあるというのが建前です。

そこで、「我々の敵であるイスラエルがアラブ諸国の経済成長を妨害している」という主張が政権側から国民へのプロパガンダとして日常的に繰り返されてきました。

その結果、イスラエルとは全く無関係に、たとえば、天候不順などで農業生産が落ち込んでも、政府の計画がずさんだったために大規模な開発プロジェクトが失敗しても、すべて「イスラエルが悪い」、「イスラエルの陰謀だ」、「アメリカや西側諸国は、イスラエルを不当に優遇し、アラブやムスリムを差別している」などと喚き散らすことで、独裁政権は延命をはかってきたわけです。

こうしたことが常態化すると、アラブ諸国の一般国民の間には抜きがたく反イスラエル感情や反米感情が浸透していきます。

一方、各国の独裁政権の側は、国内向けには、イスラエルの庇護者であるアメリカを批判しつつも、現実の外交路線としてはアメリカと全面対立に走るケースは多くはありませんし、国益の観点から、むしろ対米協調外交を展開する国も珍しくありません。また、世界的に有名なアメリカのブランド商品の輸入が禁止されることもありません。

エジプト首都、カイロにはマクドナルドが10軒以上、ケンタッキーフライドチキンが20軒以上あり、店内では、リーバイス（創業者のリーバイ・シュトラウスはユダヤ系）のジーンズやチャップス（やはり、創業者のラルフ・ローレンはユダヤ系）のシャツ、コンバースの靴などを身にまとった若者がアップルの端末をいじりながら、コーラを片手にハンバーガーをほおばっている光景が日常的に見られます。

しかし、そうした若者に「アメリカという国についてどう思う?」と尋ねれば、ほぼ間違いなく、〝イスラエルの庇護者〟を非難する内容の返事が返ってきます。

そうした彼らの反イスラエル・反米感情がしばしば爆発・暴走し、火付け役の独裁政権も抑えられなくなるという、実にいびつな構造ができ上がるのです。

サウジをはじめとする湾岸産油国の場合、イスラエルをはじめとする〝他の誰か〟に責任を転嫁したうえで、さらに札束で国民を黙らせるという手法がよく使われてきました。具体的には、教育を無償化したり、さまざまな補助金を出したり、働かない人にも失業手当を増額したりして国民の不満をごまかしてきたわけです。

確かに富を独占している王族が国民にカネをばら撒けば、国民の多くは食うに困らなくなり、当座の不満は鎮まるでしょう。しかし、一方で彼らは、カネはもらえるけれど、カネを稼ぐために必要な技術を全然身につけないまま放置されているような状態です。

これがはたして健全な国家の姿なのか、イスラムの観点から見てサウジアラビアは〝公正な社会〟なのか、という疑問がムスリムの間からも出てくるのは当然のことです。

サウジはイスラム的に「公正な社会」と言えるのか?

ワッハーブ派の厳格な理念を掲げる以上、サウジ政府も建前としては『コーラン』とスンナに基づいてイスラムの〝公正な社会〟を目指す必要があります。特にスンナ派イスラムの政治思想においては、歴史的に「公正」はきわめて重要な概念でした。

では、サウジアラビアの現状がはたして〝公正な社会〟と言えるでしょうか。

富は明らかに王族の一部の有力者に集中しています。確かに国民の多くは、ばら撒き政策で食うには困らないかもしれませんが、あくまでも、政府の不満を言わなければカネがもらえるから黙っているだけという人も多く、「金の切れ目が……」となる可能性は極めて高いでしょう。

そんな国が偉そうに「〝公正な社会〟を目指しています」と言ったところで、それを真に受けるお人好しなど、ほとんどいないはずです。

実は、サウジの宿敵で、アメリカがサウジを重視している原因となっているイランのイスラム共和国体制は、そうした「公正」を求めるところから出発しています（ただし、そのことは現在のイラン・イスラム共和国の体制が社会的な公正を実現しているか否かということとは全く別の問題です。念のため）。

もともと、第二次世界大戦まで、イランの石油利権はイギリスのアングロ・イラニアン石油会社がほぼ独占していました。利益の配分は、大まかにいうと、アングロ・イラニアンが９割、イラン側が１割でした。

第二次世界大戦後、資源国と石油メジャーの間で利益配分の見直しの動きが広がり、世界的には、資源国と石油メジャーは五分五分が主流になっていきました。そのため、イランもアングロ・イラニアンに利益配分を折半とするよう求めます。

これに対して、アングロ・イラニアンは、イラン側の配分を25％とすると回答してきたため、１９５１年５月、怒ったイラン側はアングロ・イラニアンの施設を接収し、石油国有化を宣言しました。

これだけだったら、ただ単に欲をかいたイギリスが結果的に大損したというだけの話です。

しかし、当時は東西冷戦という国際環境下だったので、イランの反英感情が西側全体に対する憎悪へと変化し、そこからソ連に接近する恐れがありました。当然ながら、そのような事態は、アメリカとしても絶対に避けなければなりません。

しかも、歴史的に見ると、イランないしペルシャの地は、ロシアの南下政策とイギリスのインド防衛がぶつかる最前線に位置しているため、イギリスと対立したイランがソ連寄りになることも十分に考えられました。実際、当時のイランの首相、モサデクはソ連に接近する姿勢を示しています。そこで、アメリカはＣＩＡを使ってモサデクを追放し、石油国有化を反故（ほご）にする代わりに、アングロ・イラニアンの復活も許さず、米英蘭の石油コンソーシアムをつくって、イランにも利益の半分を分配することで事態を収拾しました。

そして、それまで政治的にはほぼ無力だったパフラビー王朝のシャー（国王）を政治の中心に据えて、国王をバックアップすることで、イランを〝湾岸の憲兵〟として育成しようとします。それは、イランが域内大国で潜在的な国力があると同時に、非アラブのイラン人はパレスチナ問題とは無関係の立場を装い、イスラエルとも国交を結ぶことが可能だったからです。

かくして、１９５０年代以降、イランは親米王制のもとで石油収入を増やし、急激な近代化を行いました。しかし、それは一部の成金を生んだ反面、旧来の伝統産業などを破壊し、貧富の差がものすごく拡大します。

この社会的な不平等に対する不満を受けて、イランの最高位のシーア派イスラム法学者の一人だったルーホッラー・ホメイニーは「今のイランの王制はアメリカにおもねってイスラムの伝統を捨てた。イスラムの観点からは〝公正な社会〟とは言えない」と人々に訴えました。

すでに述べたように、シーア派では高位のイスラム法学者の一般信徒たちに対する権威は絶大なものがあります。

そのホメイニーを、パーレビ王制は国外に追放したばかりか、御用新聞で揶揄（やゆ）しました。そして、宗教都市コムの神学生がそれに対する抗議活動を行うと、イラン政府は彼らを武力で弾圧し、死者が発生します。すると、その死者の追悼行事を通じて、「公正さを失った王制」に対する国民の不満が爆発。ついには1979年に革命が起こります。いわゆる「イラン革命」です。

ルーホッラー・ホメイニー

イラン革命は、当初は必ずしもイスラム革命だったわけではなく、〝反国王〟という一点でさまざまな政治勢力が結集して達せられました。そして、革命後の主導権争いで宗教保守派が権力を掌握していくわけですが、当時そうした立場の違いを超えて、革命派が求めたのが〝社会的な公正〟でした。

このようにイランで〝公正な社会〟を求める革命が起

きたなら、イラン以上に〝公正さを失った社会〟である対岸のサウジアラビアにもやはり批判の矛先が向けられるのは自然な成り行きです。

サウジがムスリムを支援するのは体制批判を封じるため

ところで、前にご紹介した1979年のメッカ・ハラームモスク襲撃事件の首謀者は、1936年生まれのジュハイマーン・ウタイビーという人物で、サウジアラビアのカスィーム州の出身です。

彼の祖父は、もともと、サウジ王制の祖であるアブドルアスルズィーズ（イブン・サウード）の組織した屯田兵（とんでんへい）でした。しかし、国家建設の過程で国王が異教徒の外国と和平を結んだばかりか、屯田兵たちからも徴税を始めたことに反発。1929年に武装蜂起しましたが、結局、国王側に殲滅（せんめつ）されてしまいます（シビラの戦い）。

そうした父祖の恨みがどの程度あったかは定かではありませんが、ジュハイマーンも当時のサウジ王制に対し、口では「イスラムの盟主」を自称し、パレスチナ解放のための「アラブの連帯」を唱えながら、実際には、〝イスラエルの庇護者〟（とムスリムたちが考える）アメリカと緊密な関係を保ち、石油収入の莫大な富を独占しているとして、大いに不満を持っていたことは間違いありません。

メッカのハラーム・モスク襲撃事件に関与した犯人グループは基本的にはスンナ派信徒で、イランの国教であるシーア派との直接の関連はありません。しかし、東西冷戦という既存の国際秩序に異議申し立てを行い、イスラムに基づく公正な社会の実現を主張する革命イランのことを好意的に見ている者も少なくありませんでした。

そうした犯行グループからすれば、サウジの現王制は、イスラム国家とは名ばかりの〝腐敗・堕落した存在〟にしか見えなかったということになるのでしょう。

結局、ジュハイマーンを首謀者とする犯人グループのうち捕えられた67人は、翌１９８０年１月９日に公開処刑されましたが、事件に衝撃を受けたサウジ政府は、〝反イスラム的〟との批判をかわすべく、たとえば、アフガニスタンでの反ソ闘争を積極的に支援します。

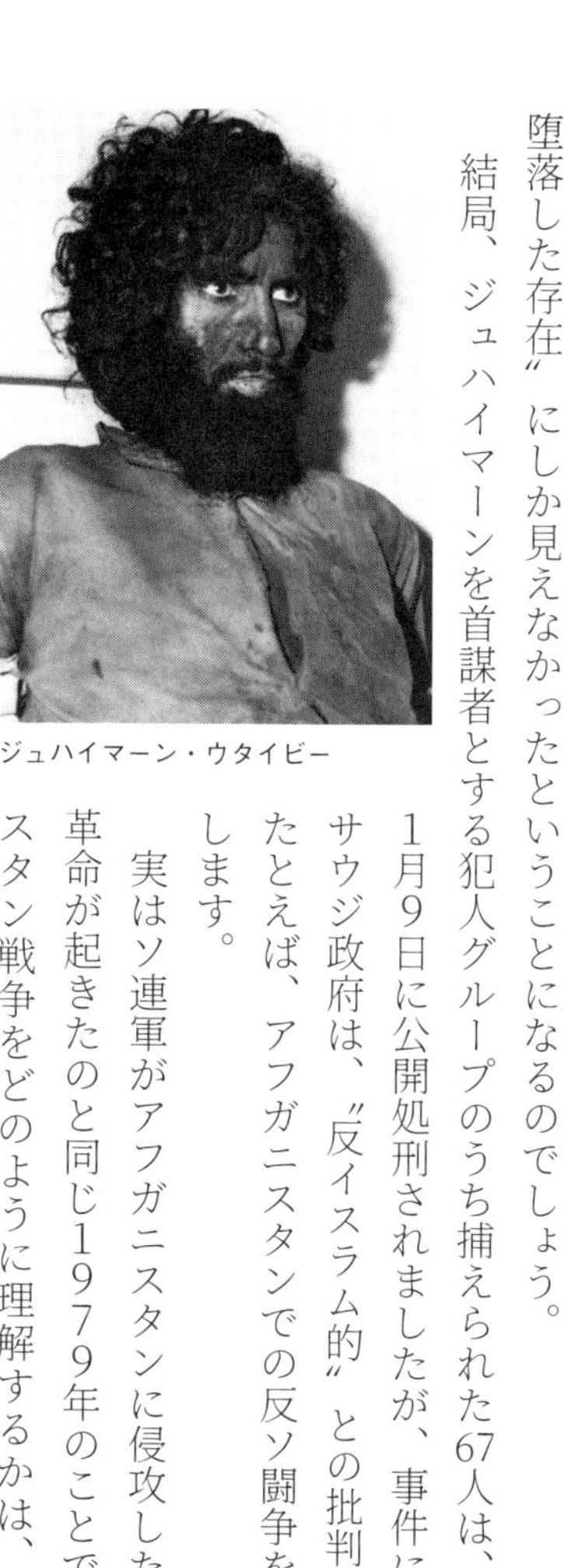
ジュハイマーン・ウタイビー

実はソ連軍がアフガニスタンに侵攻したのは、イラン革命が起きたのと同じ１９７９年のことです。アフガニスタン戦争をどのように理解するかは、立場の違いによってさまざまでしょうが、少なくともムスリムの間では、「ムスリムが人口の大半を占めるアフガニスタンにマルクス・レーニン主義国家のソ連が攻め込んだ」ということで、アフガニスタンの戦いは「無神論の共産主義者vsイスラム教徒」の構図で理解されました。

そこでサウジアラビアは、ソ連と戦うムスリム義勇兵を支援し、「王族が富を独占していても、結果的に外敵との戦いに〝寄進〟しているから〝逸脱〟ではない。我々はイスラムに基づく正しいことをしているのだ」という理屈で自分たちに向けられる批判をかわしたわけです。

その後もサウジ政府は、過激派であれ誰であれ、自分たちにとって都合のいい存在だとみれば積極的に支援して、自らを正当化し続けました。

また、支援の際には、サウジ王制に対して潜在的に不満を持っている国内の〝原理主義者〟たちに、ある程度の資金や武器を与えて〝義勇兵〟として現地に送り出しました。

サウジ政府からすると、原理主義者の体制批判を封じながら、彼らを国内から〝厄介払い〟できるので、一挙両得だったわけです。

フセイン独裁政権のイラクのほうがサウジよりマシ？

1991年の湾岸戦争の際には、西側のメディアはイラクの大統領サダム・フセインを「中東のヒトラー」と呼び、「クルド人への弾圧を始め、イラクは人権侵害の独裁国家であり、民主主義世界はその存在を許容すべきではない」との論陣を張りました。この文脈からすると、イラクに対する攻撃は「フセインの独裁政権を倒してイラクを近代国家にするのだ。イラクを民主化するのだ」という大義名分のもとに正当化されることになります。

ところが、実際に多国籍軍がイラクを占領してみると、曲がりなりにも、イラクにはサウジアラビアにはない議会があり、憲法もあり、政党もある……確かにひどい独裁政権かもしれませんが、実はサウジアラビアよりはよっぽどマシな国家体制であり、近代国家としての体裁を整えていることが明らかになりました。

そのため、「中東の非道な独裁政権を倒して民主化を推進する」という理屈で中東に関わるなら、「それでは、最も非民主的な国のひとつであるサウジアラビアの現体制を放置しておいていいのか？」という素朴な疑問が出てくるのは当然のことです。

もちろん、人権抑圧が常態化している独裁国家であっても、経済や安全保障の面から友好関係を維持することを優先すべきで、人権侵害についてはは目をつむってもよいのだという主張は、ひとつの立場としてありうるでしょう。

中国共産党政権がウイグルやチベットで行っている人権侵害を知りながら、ウイグル人やチベット人の奴隷労働の産物である安価な原材料を使い、莫大な利益を上げているナイキやユニクロのような企業の経営陣は、おそらく「人権なんて言っていたらビジネスは成り立たない」と考えているに違いありません。

しかし、ある国の人権侵害を強く非難し、その社会や体制を外側から変革すべきだとしていながら、別の国の人権侵害は黙認するという〝ご都合主義〟が人々から信用されないのは当然のことです。

湾岸戦争後、国内での民主化要求や国際的な圧力もあって、渋々ながらサウジ政府は1993年に前述の統治基本法と諮問議会法を発布します。ここでようやく憲法に相当する法律と議会に類するものが初めてできるわけです。

また、2005年には初めて地方評議会選挙を実施することになりました。ただし、もちろんこの議会にも立法権はありません。しかも選挙で選べる議員は定数の半分だけ（のちに3分の2に引き上げ）。残りは勅選です。当初は男性にしか選挙権がなかったのですが、2015年からは女性も立候補や投票を認められました。

しかし、根本的に国民が政治参加できない国ですから、かたちだけ選挙をしたところで国王や王族が好き勝手にできる体制は変わらず、民意が反映されるプロセスもありません。王族が暴走し始めると歯止めが効かなくなってしまう状態はそのまま維持されています。

どこが「素晴らしい人物」？〝人殺し〟の暴走皇太子ムハンマド

〝サウジの王族の暴走〟として記憶に新しいのが２０１８年10月の「カショギ暗殺事件」です。当時サウジ政府に批判的だったジャマル・カショギというサウジアラビア人ジャーナリストがトルコのサウジ領事館内で殺害され、ムハンマド・ビン・サルマーン皇太子（以下、ＭＢＳ）の関与が疑われました。

サウジ政府は言葉を濁して否定していますが、サウジ以外のほぼ全世界の国々では、あらゆる情報を総合して、ＭＢＳのボディガードがＭＢＳ本人の指示を受けてカショギを殺害したことはほぼ間違いないとの判断を下しています。

結局、裁判では実行犯とされる５人に死刑判決が出ましたが、ＭＢＳ自身はお咎めなしという結果になりました。

サウジアラビアの王族は普段から国内で好き勝手にやっていますから、おそらく外国でもそのクセがポロッと出てしまったのでしょう。

ＭＢＳがサウジ国内で一定の「改革」を行おうとしていることは事実です。その改革を手放しで称賛したり、あるいは、彼を改革派の素晴らしい王子だと評したり、カショギ事件を反Ｍ

BS派の陰謀だと主張したりする人もいますが、彼がどういう人物なのか、本当にわかって言っているのでしょうか。

MBSが好き勝手に振る舞うようになった大きなきっかけは、2015年1月に父のサルマーン・ビン・アブドゥルアズィーズが現在の第7代国王として即位したことです。

サルマーン国王は王位継承順位通りに即位しましたが、体調不良（実は認知症だと言われています）のため、即位当初から後継者問題が深刻になりました。同年4月には甥のナーエフ王子を皇太子に指名しますが、これは自分の息子であるMBSを次期王子にするためのダミーだと見られています。

ムハンマド・ビン・サルマーン皇太子

一方、MBSは父の即位後、健康に問題を抱える国王に代わって実権を握り、イエメンの内戦に介入したり、それまで自国を支援してきてくれたアメリカから離れてロシアや中国に接近したりと好き勝手に動き始めます。

もちろんサウジアラビアの立場からすれば、アメリカからある程度自立するという選択をしても当然いいわけですが、少なくともアメリカはMBSを「中国・ロシア側に傾斜しがちな人間」だと見ています。

我々日本人にとって大きな問題になるのは、ＭＢＳがアジアインフラ投資銀行（中国主導で設立された国際金融機関）に加盟したり、初めて中国との合同軍事演習を行ったりするなど、中国との連携を強化していることでしょう。兵器の購入・製造面でもサウジアラビアは中国の協力を受けているとされています。

中国という国は、人権や民主化をめぐって欧米と対立する国々を支援することで、自分たちの世界的な影響力を拡大してきました。その点では、サウジの体制とも親和的な国といっていいわけです。

なお、中国が現在行っているウイグル人の弾圧は、ムスリムに対する人権侵害としては先例のない大規模なものですが、「イスラムの盟主」を（勝手に）自称しているサウジがこの件に関して中国を強く非難し、経済制裁を呼びかけたりしたことはありません。もっとも、自国民の人権にさえ無頓着なサウジが、「外国人」の人権に関心を持つはずがないことは、ここまで本書を読んでこられた読者諸賢であれば、すぐにご理解いただけると思いますが。

先任者を「薬物中毒者」に仕立て上げて皇太子に昇格

さらに、サウジは、２０１５年12月にはシーア派を除くイスラム関係の34カ国で対テロ連合イスラム軍事同盟を発足させるなど、〝きな臭い動き〟も見せています。

この時期には、MBSの〝独断〟に対する反発（特にイエメン内戦への介入に対する王族内の不満）から「（MBSが）サウジアラビアを政治的にも経済的にも軍事的にも破局に導いている」と彼を非難する怪文書が出回ることもありました。

しかし、それでもMBSの暴走は止まらず、翌2016年1月にはサウジ国内のシーア派指導者ニムル師を処刑し、シーア派のイランを露骨に挑発します。

当時、アメリカのオバマ政権は前年（2015年）に締結したイラン核合意などを受けてイランに対する宥和政策をとっていました。MBSは、関係国との根回しなどもろくに行わず、独断と思い付きでそれをひっくり返すようなことをやったわけです。

一方、イランでは群衆がサウジ大使館を襲撃する事件が起こり、両国の国交が断絶する事態にまで発展しました。さすがにこのときはアメリカもMBSの〝暴走〟を懸念し、ケリー国務長官（当時）がムハンマドにイランとの関係を修復するよう電話したそうです。

ところで、この頃のMBSの立場は副皇太子であり、皇太子ではありません。皇太子の地位にあったのは前述の通り、サルマーン国王の甥（ムハンマドのいとこ）のムハンマド・ビン・ナーエフ王子です。

しかし、このナーエフ王子が2017年6月、サルマーン国王の勅命というかたちで皇太子をはじめとするすべての職務から解任されてしまいます。

理由は「薬物中毒」です。

実はナーエフ王子は自身がテロの標的にされるほどテロ対策に熱心に取り組んでいたので、アメリカからも評価が高く、「サウジで最も親米派（＝アメリカと価値観を共有できる人物）」だと期待されていました。実際に２００９年にはアラビア半島のアルカーイダによる自爆テロを受けて負傷した経験もあります。それ以来、痛み止めなどの薬を服用していたところ、いきなり「薬物中毒」にされてしまったわけです。

この一件で、ナーエフを追い落としたＭＢＳは、いよいよ皇太子に昇格します。すると同年11月には、反汚職委員会というグループを率いて「汚職」を理由に国家警備相のムトイブ王子ら王子11人を含む複数の閣僚経験者の逮捕に乗り出しました。

「汚職」といっても、前述の通り、サウジアラビアでは王族内でコンセンサスをとりながら国家を運営しますから、絶対に汚職に関わっていないと言い切れる人はひとりもいません。汚職が理由の逮捕だと、政府の要職にいる王族ならほぼ誰でも捕まえられることになります。

ようするに、これはＭＢＳが反汚職キャンペーンの名

ナーエフ王子

のもとに自分のライバルや反対勢力を政権中枢から追放したにすぎません。なにやら、反汚職キャンペーンで政敵を次々に追い落としていった習近平のやり方を彷彿（ほうふつ）とさせますね。

実は、殺されたカショギはこうしたＭＢＳの不正を追及しており、そのことが、２０１８年の殺害事件につながったというのが、説得力のある説明に思えます。

さすがにサウジに苛立ち始めたアメリカ

カショギ暗殺事件直前の２０１８年８月には、サウジ政府に批判的な複数の人権活動家がサウジアラビアで拘束されたことに対し、カナダ政府が抗議するという出来事がありました。

サウジ政府はこれを「露骨な内政干渉だ」と非難し、サウジ駐在のカナダ大使を追放し、サウジアラビアからトロントへの航空便を停止。さらには、カナダへの投資や貿易を凍結させるという経済制裁を行います。

「カネが欲しければ、俺たちの言うことを聞け！」とでも言わんばかりの行為ですが、サウジ関連でこの手の話は別に珍しいものではありません。ずっとそういうことをしてきた国なのです。

このように、サウジが好き勝手なことをやってこられたのは、やはり、「中東・アラブ世界における最大の親米国家」という評判と、イラン封じ込めというアメリカの意向があったからですが、さすがに、近年、アメリカもサウジのあまりの出鱈目(でたらめ)ぶりに苛立ち始めます。トランプ政権は、基本的に「親サウジ」と言われてきました。しかし、その背景には、イラン封じ込めのためには、アラブ域内大国のサウジを取り込まなければならないという事情があったわけです。たとえていうなら、東西冷戦の時代、北ベトナムを潰すためには、南ベトナムのサイゴン政権がどれほど汚職と腐敗にまみれたろくでもない政権であったとしても支援せざるをえなかったのと同じです。

裏返していうと、トランプ政権としては、イランとの核合意から離脱し、イラン産原油を国際市場から締め出すことでイランが弱体化し、アメリカにとっての脅威でなくなれば、コストばかりかかる中東から撤退できる。そうなれば、サウジなんかと深い付き合いをする必要もなくなるわけです。

ところが、そうしたアメリカの意向を知ってか知らずか、２０２０年春、サウジはアメリカのトランプ政権を決定的に怒らせることをやらかします。

２０２０年3月末にＯＰＥＣの生産調整が期限切れになりましたが、その後、サウジはマーケットでのシェア争いを仕掛けて、石油の大増産に踏み切り、安売り競争を始めました。ただでさえ、当時は世界的に新型コロナウイルス禍が深刻になっていて、石油の需要が落ち込んでいた時期です。原油価格は大暴落し、燃料業界は全世界的に大打撃を受けました。

アメリカ国内では、トランプの支持基盤である燃料業界、特にシェール産業は悲惨な状況になりました。当然、トランプ政権は大激怒です。

アメリカからすると、「サウジにはイランの〝カウンター〟として、今までは何かと目をかけてきてやったし、サウジ王室が〝テロリストを飼っている〟こともある程度は黙認してきてやったのに……」という意識があります。まさにサウジは、恩を仇で返したわけです。

堪忍袋の緒が切れたトランプ政権は、２０２０年５月、（イランに対する防衛を意識して）サウジに配備している地対空ミサイルシステム「パトリオット」を撤収すると言い出しました。「いい加減、サウジの面倒を見切れないから、安全保障も自分で勝手にやればいいじゃないか。もう今までのように、サウジを甘やかさないよ」というわけです。

慌てたサウジは、パトリオットの改造型を石油地帯に配備準備すると言い出しましたが、はたして実効性のある防衛力となるかどうかは全くの未知数です。

２０２０年８月４日には、米紙『ウォール・ストリート・ジャーナル』に「サウジが国内の鉱山で中国と一緒になって核開発のための燃料を採掘している」との疑惑が報じられました。「アメリカにとっての最大の脅威は中国である」と事あるごとに主張してきたトランプ政権からすると、この報道が事実であれば、サウジは〝アメリカの最大の敵〟とも内通している無節操な国だということになります。これでは信用なんかできっこありません。

サウジはバイデン政権の〝おもちゃ〟になる⁉

大統領選挙のキャンペーン中、バイデンはトランプ批判の文脈で彼の親サウジ政策を批判しました。その背景のひとつには、民主党の支持母体であるリベラル勢力が重視する人権の問題があります。

２０１８年の「カショギ事件」の例を持ち出すまでもなく、サウジがアラブ世界のなかでも最悪の人権抑圧国家のひとつであることは、当然、彼らも知っています。「そんな国を〝自由と民主主義のチャンピオン〟たるアメリカが支援することが道義的に許されるのか」という批判が起きるのは当然のことです。

また、アメリカ人の記憶に新しいところでは、２０１９年12月、フロリダのペンサコラの海軍の航空基地でサウジアラビア出身の訓練生（サウジアラビア空軍の少尉）が銃撃事件を起こしています。犯人は射殺されましたが、この事件で死者3人、負傷者8人の犠牲者が出ました。

実はサウジ人がアメリカ国内で銃を乱射して一般のアメリカ人を殺すという出来事は、アメリカ人のイメージでは、２００１年の「9・11同時多発テロ事件」とだぶって見えるわけです。9・11のときは19人の容疑者のうち、関与した人間15人がサウジアラビア国籍で、しかもそのうちの一人はフロリダの民間航空軍に通っていました。

もちろん、全く背景の異なる「ペンサコラの事件」と9・11を同一視してはいけないのですが、一般のアメリカ国民の感情からすれば、「犯人はサウジ国軍の兵士となっているけど、実はテロリストが紛れ込んでいるんじゃないのか？」という不安はぬぐいきれません。

いずれにせよ、ペンサコラの事件でサウジに対するアメリカ人のイメージが悪くなることはあっても、好転する要素は何もないわけです。バイデンがサウジとの関係を見直すと言っているのも、そうした〝民意〟が背景にあることを見逃してはならないでしょう。

さらに、バイデン政権は、大幅な環境規制を盛り込んだ「グリーン・ニューディール」政策を金看板として掲げており、石油業界は、逆風の嵐どころか猛吹雪（もうふぶき）のなかに叩き込まれ、氷河期に突入することが懸念されています。

したがって、バイデン政権の基本原則からすると、「イラン対策のためとはいえ、サウジのような人権抑圧を行っている産油国を、なぜ、アメリカ国民の血税で守らなければならないのか」という素朴な疑問が出てくるのは避けられません。少なくとも、与党・民主党内の極左リベラル勢力の不満を抑えるために、人権やエコの観点から、サウジを絞り上げるというのは、民主党内では「中道」に近いとされるバイデンにとっても魅力的な選択肢になるはずです。

しかも、サウジはイランと対峙するうえでアメリカの協力を仰がねばならない（少なくとも、アメリカとは全面的に対立するわけにはいかない）立場にあります。アメリカはそこのところで思いっきりサウジの足元を見て、サウジが我慢できるぎりぎりの限度まで、国内政局のガス抜き用の安全弁として、サウジを〝おもちゃ〟にしていたぶることが可能ですし、そうなる可能性はきわめて高いでしょう。

もはや〝中東の癌〟となったサウジの〝切除〟は避けられない!?

バイデン政権に備えるなら、サウジとしては、たとえ〝牛歩〟に近いものであったとしても、ある程度、人権問題で西側世界にも受け入れられるような措置を講じていかねばならないはずなのですが、実際には真逆のことをしてしまいます。

すなわち、アメリカで政権移行期間中の2020年12月28日、バイデン政権発足前に、強引に間に合わせるかのように、サウジの裁判所は、政治制度の転換をはかり国家を危険にさらしたなどの罪で、31歳の女性人権活動家ルジャイン・ハズルールに禁錮5年8カ月の判決を下したのです。

ルジャインは、1989年にサウジアラビア西部の紅海沿岸の都市ジッダで生まれ、カナダのブリティッシュ・コロンビア大学への留学経験があります。帰国後の2014年12月、アラ

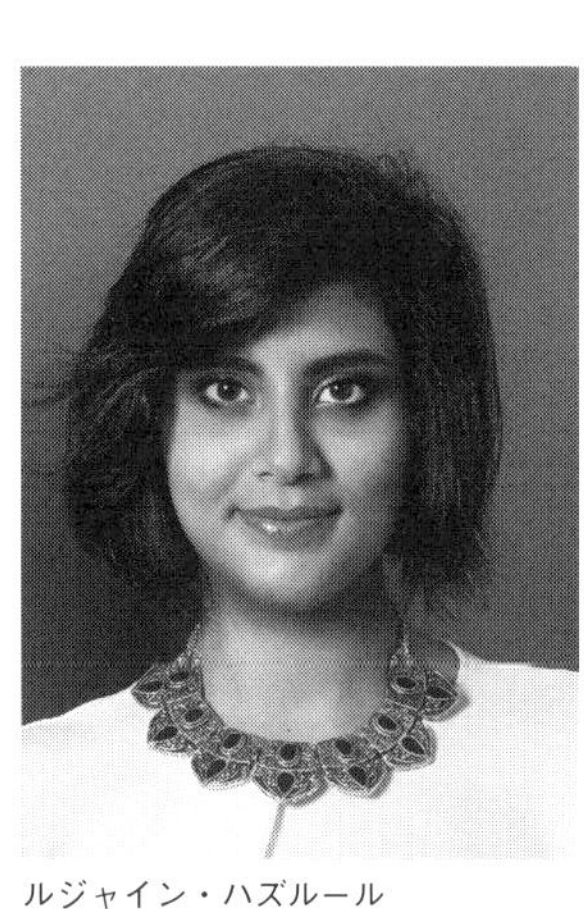
ルジャイン・ハズルール
©Balkis Press/Abaca/アフロ

ブ首長国連邦（ＵＡＥ）からサウジアラビア王国へ、自らの運転する自動車で国境を越えて帰国しようとしたところ、女性の運転を禁じる法律に違反したとして逮捕され、73日間拘束されました。ちなみに、彼女はＵＡＥの運転免許証を持っており、運転技術という点では、全く問題ありませんでした。

続けてルジャインは２０１７年６月４日にも、ダンマームのキング・ファハド国際空港で逮捕され、当初は、弁護士や家族との連絡も禁止されました。彼女は前年の２０１６年９月、男性による女性の保護システム（女性は男性の庇護下に置かれるべきとのイスラムの教えから、女性の自由な意思決定や行動を大幅に制限する制度。たとえば、サウジの女性は、親族の男性の同伴なしには外国への旅行が認められない）の撤廃をサルマーン国王に求める請願運動に参加していますが、このことが直接の容疑かどうかは明らかにされていません。

さらに、彼女は、２０１８年５月15日にも、サウジ国内での女性の権利拡大に関わっている活動家らと共に逮捕されています。逮捕容疑は「国益を損なう罪」などとされており、当時ＭＢＳが推進していた独自の「女性の権利拡大」計画に疑問を持つ者を威嚇（いかく）するのが目的です。

ルジャインの度重なる逮捕により、女性が自動車を運転することさえ禁止されているサウジの状況に対しては、世界中から批判の声が高まりました。

そのため、２０１８年6月、ＭＢＳはルジャインら人権活動家を拘束して、批判の動きを完全に封じたうえで、女性にも運転する権利を付与し、女性の国外旅行に義務づけられていた「男性後見人」による承認制度も撤廃するなど、国際社会に対して「民主化」を進めているような姿勢を示しました。

しかし、肝心のルジャインらは解放されることなく、ザフバーン中央刑務所に収監され、むち打ちや電気ショックなどの拷問(ごうもん)を受けています。

こうした状況に抗議して、２０２０年10月には、ルジャインは刑務所内でハンガーストライキを行いました。彼女のこれまでの活動実績とあわせて、彼女の名前は２０２０年のノーベル平和賞候補にも挙げられたほどです。

当然のことながら、アメリカの人権活動家たちもルジャインの待遇については注目しており、バイデン政権の発足を受けて、彼女の存在は両国間の懸案事項となる可能性が高いとみられています。したがって２０２０年12月28日の判決は、なんとしても、バイデン政権が発足する前に、ワッハーブ国家としての「国体護持」のため、ルジャインに有罪判決を下しておきたかったという体制側の思惑が背後にあることは確実です。

ただし、今回の判決では、禁錮5年8カ月のうち2年10カ月が「執行猶予」とされているため、これまでの拘置期間を差し引くと、とりあえず、彼女は2021年3月には釈放される予定になっています。おそらく、サウジ政府としては、アメリカからの強い圧力があれば、ルジャインを釈放して「民主化」の進展をアピールするつもりなのでしょう。

いずれにせよ、西側民主主義世界の人間であれば、こうしたサウジの体制を現状のまま維持すべきではないと考えるのが普通ではないかと思います。

これに対して、時折、「サウジアラビアの現体制を無理に変革するとサウジ自体が弱体化して結果的にイランの勢力を伸ばしてしまう」と訳知り顔に主張する人もいるのですが、サウジが軍事的にあまりにも弱体であるという現実を踏まえれば、サウジの現体制が続いたところで、イランに対する抑止力になりえないことは明らかです。

きつい言い方になりますが、ここ数十年にわたって、サウジの存在は〝中東の癌〟以外の何物でもありませんでした。民主主義と人権が人類普遍の価値であることに疑いをさしはさむべきではないというのなら、我々は中東の〝民主化〟を支援しなければならないでしょうし、その大前提として〝癌の切除〟は避けられないはずです。

サウジアラビアの現体制を存続させるコストと、崩壊させるコスト、どちらを選ぶのがより合理的なのかを国際社会が真剣に考える時期に来ているのだと私は考えています。

第4章

【ロシア・トルコ】を読む
リビアからコーカサスにいたる紛争ベルトの重要性

戦争は戦車不要の新時代に突入？

「ナゴルノ・カラバフ紛争」をご存じでしょうか。

アルメニアとアゼルバイジャンの係争地ナゴルノ・カラバフをめぐる争いで、2020年9月27日に両国軍による大規模な戦闘が発生したことで世界中の注目を集めました。

といっても、私たち日本人にとってはあまり馴染みのない地域での紛争なので、ニュースとしてあまり印象に残っていないかもしれません。あるいは「ドローンが大活躍した戦争」と聞けば「あぁ、あれか！」と思い出す方も多いのではないでしょうか。

この戦いではアゼルバイジャン軍が軍事ドローン（無人機）を投入し、アルメニア軍の戦車や装甲車を次々と撃破して大打撃を与えました。そのため、「現代の戦争のあり方が変わった」「もう戦車は役に立たない時代になった」などと騒ぐ声も聞こえてきます。

紛争の背景よりも、そうした軍事技術的な側面が注目されてしまったこともあり、一般的なメディアの報道だけでは、なぜ両国が争っているのかよくわからないという方も多そうです。

そもそも日本で「アルメニア」や「アゼルバイジャン」という国名を聞いても、「それってどこにあるの？」という人が多数派でしょう。「ナゴルノ・カラバフ」にいたっては、地名かどうかもわからない方が大半だと思います。

ムスリム国家のなかにキリスト教徒の〝飛び地〟

アルメニアとアゼルバイジャンがあるのは、カスピ海と黒海の間、いわゆる「コーカサス」ないしは「カフカース」と呼ばれる地域です。

カスピ海に面しているのがアゼルバイジャン、その西隣がアルメニアであり、かつては両国ともソ連を構成する社会主義共和国でした。アゼルバイジャンもアルメニアも、南はイラン、北はジョージア（旧グルジア）と接しています。そして、アゼルバイジャンの北隣がロシア、アルメニアの西隣がトルコという位置関係にあります。

「アゼルバイジャン」だとわかりにくくても、石油で有名な「バクー」の地名なら聞いたことある人が多いかもしれません。アゼルバイジャンの首都がそのバクーです。

アゼルバイジャンは宗教的にはイスラム教のシーア派の国です。約１０００万人いる人口の９割以上を占めるアゼルバイジャン人は民族的にはトルコ系なので、トルコ語に近いアゼルバイジャン語を話しています。

ちなみに、ひと昔前にイラン国籍で日本に出稼ぎに来ていた人たちのなかには、アゼルバイジャン系の人がけっこう混ざっていたそうです。

一方、アルメニアはキリスト教（アルメニア正教）の国で、西暦３０１年にアルサケス朝の

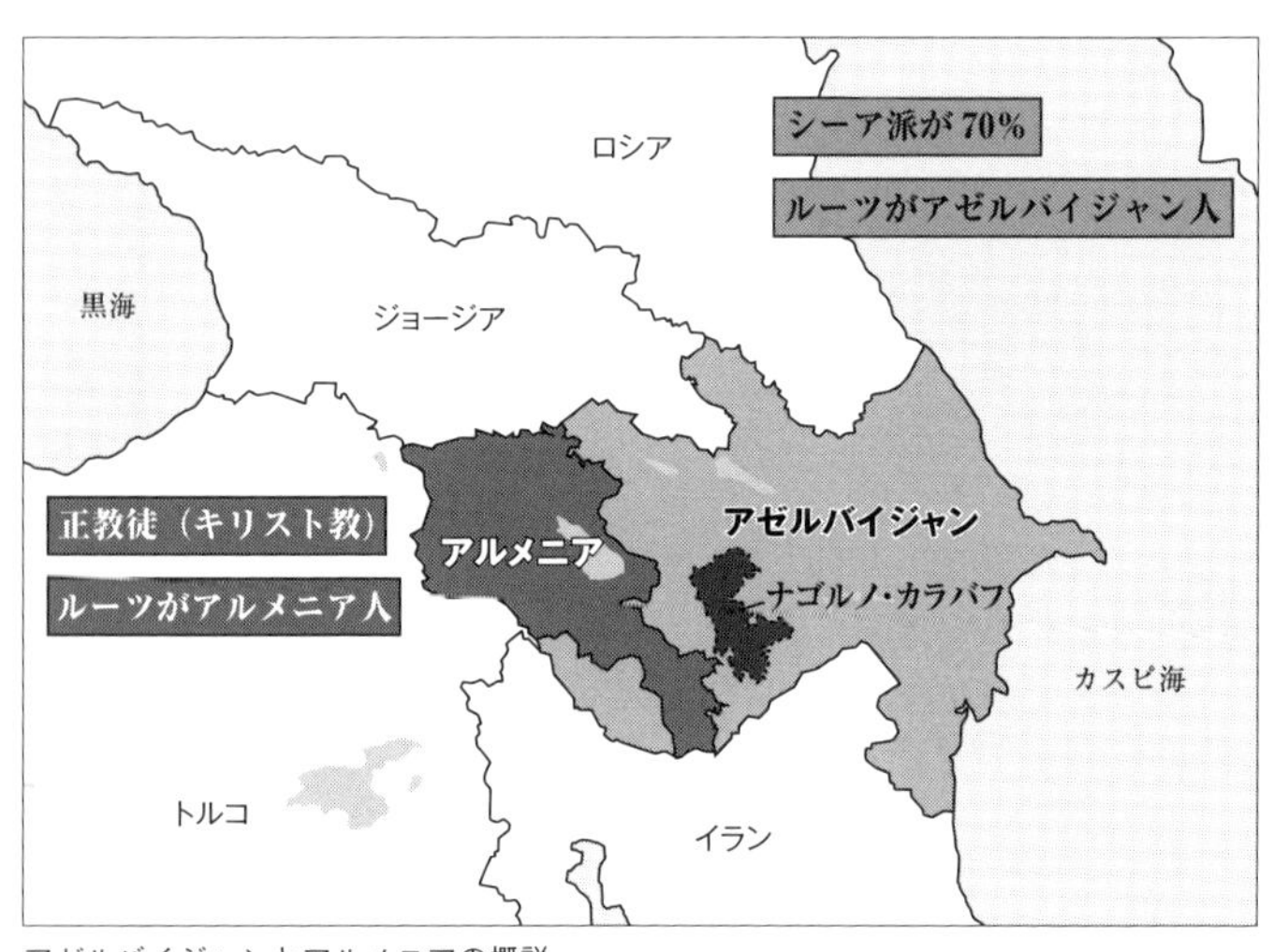

アゼルバイジャンとアルメニアの概説

トルダト3世がキリスト教に改宗したことから、国家としても、民族としても、世界で最初に公式にキリスト教を受容した国と言われています。約290万人いる人口の約98％はアルメニア語を使用するアルメニア人です。

さて、問題の「ナゴルノ・カラバフ」は、アゼルバイジャンの領域内（アルメニアに近い西部）にありながら、アゼルバイジャン政府の統制が及ばない地域、いわば事実上の独立国家として存在してきました。ただし、日本も含めて国際社会の大半は、ナゴルノ・カラバフを独立国として承認していません。この地域は、約15万人いる住民のほぼ100％がアルメニア正教のアルメニア人なので、ムスリム国家内にあるキリスト教徒の〝飛び地〟のようなかたちになっています。

ソ連の崩壊で内戦から本格的な国際紛争へ

アゼルバイジャンも、アルメニアも、そしてナゴルノ・カラバフも、１９１７年のロシア革命以前はロシア帝国の支配下にありました。

ところが、ロシア革命翌年の１９１８年5月にはアルメニアとアゼルバイジャンが相次いで独立を宣言します。その際、ムスリム国家アゼルバイジャンの領域内にありながら、キリスト教徒のアルメニア人が多数居住している〝飛び地〟ナゴルノ・カラバフの帰属先が問題になりました。これが、その後の「ナゴルノ・カラバフ問題」の原点になります。

しかし、独立からわずか2年後の１９２０年には、両国とも再びロシア革命政府に支配され、アルメニアとアゼルバイジャンという独立した国自体がなくなってしまいました。さらに、翌１９２１年、ロシア革命政府は、ナゴルノ・カラバフを行政上はアゼルバイジャンに帰属させますが、言語・宗教等が異なることからここを〝自治州〟の扱いにします。

そして、１９２２年末にソ連（ソビエト社会主義共和国連邦）ができると、アゼルバイジャンもアルメニアもそれぞれ連邦を構成する社会主義共和国になります。それに伴い、ナゴルノ・カラバフ問題もひとまず棚上げになりました。「結局どっちに転んでもソ連の支配下だから、気にしなくてもいいじゃないか」というわけです。

その後、この中途半端な状態が半世紀以上続きましたが、1985年にソ連でペレストロイカ（「立て直し」を意味するロシア語で、ミハイル・ゴルバチョフ政権が行ったさまざまな改革の総称）が始まったことで風向きが変わります。

当時のゴルバチョフ政権が改革を進めていくなかで、民主化や自治を求める声が高まると、ナゴルノ・カラバフ自治州もアルメニアへの編入をゴルバチョフに懇願しました。

いくら同じソ連の支配下にあるとはいえ、ナゴルノ・カラバフとアゼルバイジャンでは、民族も宗教も違えば、言語や習慣も違います。ナゴルノ・カラバフの人々が自分たちと同類の人々が住むアルメニアに帰属したいと願うのも当然のことでしょう。

しかし、この要求をゴルバチョフは拒否します。

ミハイル・ゴルバチョフ

ペレストロイカは、結果的にソ連を崩壊に導きました。しかし、当然のことながら、ソ連共産党書記長としてのゴルバチョフはソ連を解体するために改革に着手したのではありません。むしろ社会主義体制を立て直したくて改革に取り組んでいたわけです。

現在のロシアもそうですが、当時のソ連はそれ以上に、国内に複雑な民族問題を抱えこんでいました。ナゴルノ・

カラバフの帰属問題も国家の分裂につながりかねない民族対立をはらんでいる〝パンドラの箱〟のひとつでしたから、それを開けることはできません。ゴルバチョフがナゴルノ・カラバフの要求を断ったのも当然です。

ところが、１９８８年2月、ナゴルノ・カラバフのアスケランという都市でアゼルバイジャン人の青年が殺される事件が起こりました。

当時はちょうど、ナゴルノ・カラバフ自治州政府が改めてソ連にアルメニアへの編入を要請していた時期でした。そんなタイミングで民族感情を刺激するような殺人事件が起こったものですから、アルメニアとアゼルバイジャンの対立が一気に激化してしまいます。

同年6月15日、アルメニアの議会がナゴルノ・カラバフ自治州の自国への移管を決議すると、翌16日にはアゼルバイジャンの議会がそれを否認します。この時点では、ベルリンの壁はまだ崩壊しておらず、少なくとも西側世界の大半は、わずか1年後に東側社会主義諸国が相次いで崩壊するとは夢にも思っていません。

ソ連の体制はこのままずっと続くと思われていたのですが、モスクワのソ連中央はアルメニアとアゼルバイジャンの対立を抑えきれず、両国の対立はついに内戦にまで発展してしまいます。もはやモスクワでは、アルメニアとアゼルバイジャンを統制できない状態になってしまっていたというわけです。

ソ連が崩壊するのは1991年12月ですが、その前の8月30日にはアゼルバイジャンが再び独立し、9月21日にはアルメニアも再独立します。

これにより「ナゴルノ・カラバフ紛争」は、ソ連のなかで起こっていた〝内戦〟から、独立国同士の本格的な〝国際紛争〟になりました。

石油パイプラインを死守せよ！

アゼルバイジャンの独立宣言を受けて、1991年9月2日、ナゴルノ・カラバフは、あらためてアゼルバジャン政府の〝自治〟を宣言します。そして、ソ連崩壊直後の1992年1月6日、ナゴルノ・カラバフ自治州は、アルメニアの支援を受けて「ナゴルノ・カラバフ共和国（アルツァフ共和国）」として独立を宣言しました。

ちなみに、ナゴルノ・カラバフの「ナゴルノ」は「山岳」や「山」という意味で、英語では「Karabakh mountain republic（カラバフ・マウンテン・リパブリック）」と呼ばれることもあります。

また「アルツァフ共和国」とは、11世紀から13世紀にかけてこの地に「アルツァフ王国」というアルメニア人の国があったことに由来する国名です。

とりあえずここではナゴルノ・カラバフで通しておきましょう。

さて、ナゴルノ・カラバフは独立を宣言したものの、国際社会からは国として認められることなく今日にいたります。

ちなみに、日本の外務省もナゴルノ・カラバフを「アゼルバイジャンの自治州であり、アルメニアの占領地である」としています。

ソ連崩壊後のナゴルノ・カラバフ紛争は、基本的にアルメニア有利でずっと展開されてきました。

1992年１月６日に独立を宣言したナゴルノ・カラバフ共和国（アルツァフ共和国）が、翌1993年に発行した最初の正刷切手で、同国の国旗がデザインされている。国旗のデザインは、アルメニアの国旗を基調に白線を加えたもので、ナゴルノ・カラバフがアルメニア本土から切り離された“飛び地”であることを意味している。

アルメニアからすると、ナゴルノ・カラバフは敵国のなかにある〝飛び地〟です。そこをしっかりと守るには本国と連結しなければなりません。

そのため、アルメニアはナゴルノ・カラバフが独立宣言して間もない１９９２年５月には、アルメニアとナゴルノ・カラバフの間に挟まれたラチン県という地域を制圧します。ラチン県の領域はナゴルノ・カラバフ共和国のカシャタグ地区に編入されましたが、この過程で県内のアゼルバイジャン人が多数虐殺され、多数の難民が発生しました。ちなみに、アルメニアとナゴルノ・カラバフを最短距離で結ぶ細長い地域は「ラチン回廊」と呼ばれています。

こうしてアルメニアとナゴルノ・カラバフは、旧自治州の範囲を超えてアゼルバイジャン領を占領するようになりました（２４６ページの地図参照）。

１９９４年5月、アルメニアとアゼルバイジャンとの間で停戦が成立すると、ナゴルノ・カラバフはアゼルバイジャンの統制が及ばない事実上の〝独立国〟になります。

これに伴い、ラチン県を含むナゴルノ・カラバフ周辺の〝占領地〟に対するアルメニアの実効支配も事実上追認される状況が続きました。

当然のことながら、アゼルバイジャン側は〝ナゴルノ・カラバフ共和国（ないしはアルメニア）〟によるラチン県等の占領を認めていません。

その後も、わざわざラチン県のランドマークを描いた切手を発行するなどして、ラチン県の領有権を国内外にアピールしてきました。

さらに、20世紀末になると、ナゴルノ・カラバフ問題には経済的な利権も大きく絡んできます。アゼルバイジャンの油田地帯であるバクーからトルコの地中海沿岸部の都市ジェイハンにいたる石油のパイプラインが、ナゴルノ・カラバフの近隣を通ることになったからです。

このパイプラインのルートは、政治的に不安要素のあるイランやアルメニアを通さず、北側のジョージアの都市トリビシを経由させることになりました。

　こうしてできたのが、世界第2位の規模を誇る「BTC（バクー・トリビシ・ジェイハン）パイプライン」です。

　バクーから地中海まで、アルメニアを迂回した最短ルートを目指す場合、パイプラインはどうしてもナゴルノ・カラバフの近くを通らざるをえません。

　つまり、アゼルバイジャンからすると、ナゴルノ・カラバフを敵国アルメニアに握られている状態は、BTCパイプラインの〝喉元〟を握られてしまっているようなものなのです。

　このパイプラインの問題もまた、アゼルバイジャンにとって、アルメニアによ

BTCパイプラインのルートとナゴルノ・カラバフの位置関係

2006年にアゼルバイジャンが発行した普通切手。ラチン県のランドマーク、ツィツェルナヴァンク修道院が描かれている。

るナゴルノ・カラバフ支配を絶対に認められない理由のひとつになっています。

先に攻撃を仕掛けたのはどっち？

ナゴルノ・カラバフ紛争は１９９４年の停戦合意後も小規模な衝突が散発する状態が続いていました。そのため、２０００年代半ばからはロシアとアメリカが地域紛争の芽を摘むべく仲介に乗り出し、和平交渉を進めていきます。その内容は、

●アルメニアがナゴルノ・カラバフその他の占領地を放棄する。
●それぞれの難民が故郷に戻る。
●紛争地域の住民の権利が保障される。

というもので、これらが達成されることを目標に両国が交渉を重ね、最終的に領土の帰属問題の解決を目指すというものでした。

しかし、これは実際のところパレスチナ紛争の交渉と同様、ほぼ実現不可能な〝お題目〟です。こんな目標を立てたところで、和平の具体的な進展などあるはずがありません。

当然、その後も両国間の争いは収まることなく、２０１６年４月にはナゴルノ・カラバフで「４日間戦争」と呼ばれる激しい戦闘が行われました。双方の政府の発表によると、この戦闘でア

ゼルバイジャン側12人、アルメニア側18人が亡くなったとされています。

2020年に入ると、冒頭で述べた9月27日の戦闘以前にも、7月12〜14日にアゼルバイジャン北西部のドブズという地域で衝突が起こりました。この戦闘では、アゼルバイジャン側12人、アルメニア側4人が亡くなっています。

この戦いを受けて、アゼルバイジャンの〝兄貴分〟のトルコが乗り出してきて、アゼルバイジャンで実弾を使用した大規模な軍事演習を行いました。後述しますが、トルコもアルメニアとは仲が悪いことで有名です。

こうした経緯もあり、9月に入るとアゼルバイジャンのイルハム・アリエフ大統領が「アルメニアが新たな戦争を準備している」と非難するなど、両国の緊張はかなり高まっていました。そして、9月27日に再び本格的な紛争が始まったというわけです。

イルハム・アリエフ

報道によると、戦闘は27日朝、ナゴルノ・カラバフ内で発砲事件が発生したことで始まりました。

アルメニア側はアゼルバイジャン軍が攻撃を仕掛けてきたと主張し、アゼルバイジャン軍のヘリコプター2機および無人機3機を撃墜。アルメニア国内では戒厳令と総動員令が発令され、ナゴルノ・カラバフでも同日中に戒厳令が敷かれています。

これに対して、アゼルバイジャン側は、アルメニア軍が先にナゴルノ・カラバフ付近の集落に発砲したとして、「アルメニア軍の攻撃を阻止し、民間人の安全を守るため反撃を開始した」と反論しました。

互いに「先に向こうから仕掛けてきた」と主張しているわけですが、真相はこの出来事が〝歴史〟になっていく過程で徐々に明らかになっていくことでしょう。

ただ、開戦後の経緯を見ていると、これまでナゴルノ・カラバフ紛争で一度もアルメニアに勝ったことがないアゼルバイジャンが、今回に限っては圧倒的に有利に戦いを展開していました。仮にアルメニアが先に攻撃を仕掛けたのだとしても、アゼルバイジャン側はいつでも反撃できるよう事前にかなり周到な戦闘準備をしていたのだと思われます。

ロシアの仲介で「完全停戦」へ？

2020年9月27日に発生した今回のナゴルノ・カラバフ紛争は、10月10日にはロシアの仲介で最初の停戦合意が成立しました。

しかし、翌日には早くも停戦が破られ、その後も何度か停戦が合意されるものの、すぐに破綻するという状況が続きます。

この間、一連の戦闘は、終始アゼルバイジャン有利に進みました。

11月9日には、アゼルバイジャン軍がナゴルノ・カラバフの中心都市ステパナケルトから南に11キロの位置にある要衝、シュシー（アゼルバイジャン側の呼称はシューシャ）を占領。続いてステパナケルト近郊でも戦闘が始まります。このまま紛争が続けばアゼルバイジャンがナゴルノ・カラバフ全域を制圧するかもしれない、という勢いでした。そのため、アルメニア側もロシアの仲介による停戦をやむなく受け入れることになります。

ロシアのプーチン大統領は11月10日、アゼルバイジャンのアリエフ大統領とアルメニアのニコル・パシニャン首相が共同声明に署名し、「完全停戦」に合意したと発表しました。

この停戦合意では、

①アルメニア側が実効支配していた同自治州と周辺地域のうち、今回の戦闘でアゼルバイジャンが占領した地域は原則的にアゼルバイジャンが確保する。

②アルメニアは過去の紛争で支配下に置いた自治州周辺の3県（ガザフ、キャルバジャル、ラチン）をアゼルバイジャンに返還し、数週間以内にアルメニア軍を撤退させる。

③ロシアは１９６０人の平和維持軍を派遣して前線警備を担当し、トルコも平和維持プロセスに参加する。

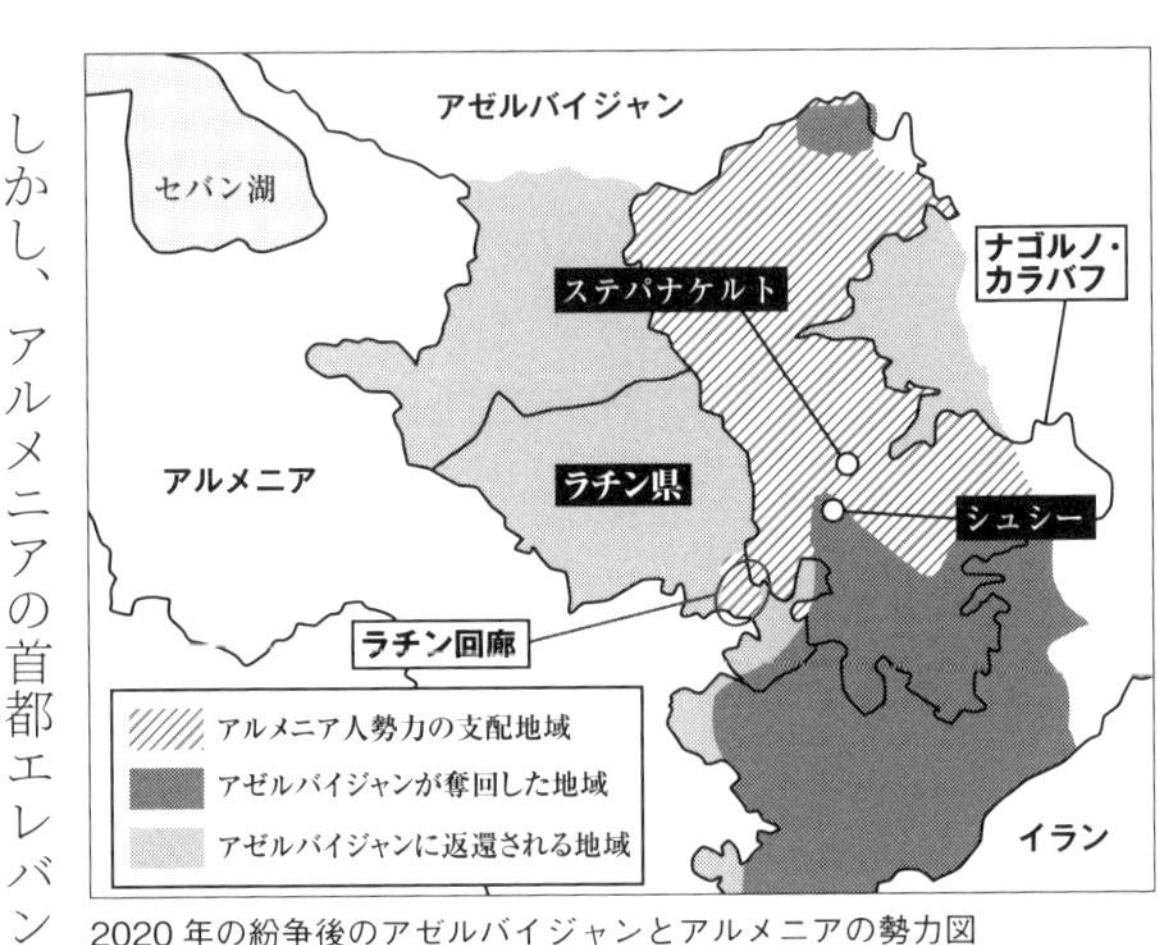

2020年の紛争後のアゼルバイジャンとアルメニアの勢力図

④双方の捕虜の交換を行う。
⑤すべての経済と運輸の接触を再開する。

などが取り決められました。

アゼルバイジャンのアリエフ大統領は今回の合意について、「歴史的に重要なもの」であり、アルメニアは〝降伏〟したに等しく、「目標は達成された。最も望ましいかたちでの決着だ」と表明しました。アゼルバイジャンの支援国であるトルコも「重要な勝利だ」と祝福しています。

一方、アルメニアのパシニャン首相は、「筆舌に尽くせない苦痛だが、やむをえない選択だった」としつつも、「これは勝利ではないが、敗北と思わなければ敗北ではない」と釈明しました。

しかし、アルメニアの首都エレバンでは、停戦に納得しない数千人の住民が大規模な抗議デモを実施。そのうちの数百人が「我々は諦めない」と叫びながら政府庁舎や国会議事堂になだれ込み、首相官邸ではパシニャン首相のコンピューターや時計、香水、運転免許証等が盗難被害にあうなどの混乱が続いたそうです。

ナゴルノ・カラバフとアルメニアによる占領地（ガザフ、キャルバジャル、ラチン）返還は、12月1日に無事に完了しました。ラチン県に関しては今後、アルメニアとナゴルノ・カラバフを接続する幅5キロの回廊を設定したうえで、ナゴルノ・カラバフの境界線とラチン回廊沿線には1960人のロシア平和維持軍が5年間駐留し、アルメニアとナゴルノ・カラバフ間の交通を監視することになっています。

「大虐殺」の歴史認識で揉めるアルメニアとトルコ

いかがだったでしょうか。以上がアルメニアとアゼルバイジャンの対立を中心に見たナゴルノ・カラバフ紛争の全体的な流れです。

では、ここからは紛争の〝背後〟にあるものを見ていきましょう。

ナゴルノ・カラバフ紛争は一見するとアルメニアとアゼルバイジャンによるローカルな民族紛争のように思えます。

しかし、実はその裏側ではロシア、トルコ、フランス、アメリカ、イスラエルなど、さまざまな国々の思惑が複雑に絡み合っていました。

それを理解するには、ある程度の前提知識が必要になってくるので、まずはアルメニアとトルコの関係を整理しておきましょう。

先ほども少し触れましたが、アルメニアとトルコは仲が悪いことで知られています。

その大きな理由のひとつは、第一次世界大戦中にトルコ（オスマン帝国）が行ったとされる「アルメニア人大虐殺」です。

第一次世界大戦中の１９１５年から１９１７年にかけて、当時のオスマン帝国はアナトリア半島に住むアルメニア人が敵国ロシアに内通しているとの理由で、アルメニア人を強制移住させました。その際、１５０万人とも言われる多くのアルメニア人が移送中に迫害されて命を落としたとされています（トルコ側の主張では30万人）。

これがいわゆる「アルメニア人大虐殺」と呼ばれている事件です。

アルメニア側は「オスマン帝国が〝移送〟という名目でアルメニア人の根絶をはかり、国家ぐるみで〝組織的に虐殺〟した」と主張しています。

今でもなお世界各地のアルメニア人が〝トルコ人による組織的虐殺〟としてトルコ政府を非難しているのに対し、あくまでもトルコ側は「戦時下の強制移住により、結果的に多くのアルメニア人が犠牲になった」として〝虐殺〟の事実を否定しています。つまり、「移送時の食料や医薬品などの準備不足のせいで、不幸にして多くのアルメニア人が亡くなった。管理責任は問われるかもしれないが、意図的な虐殺ではない」というわけです。

そのため、トルコ側は今にいたるまで謝罪や賠償を断固として拒否し続けており、これがトルコとアルメニアの根深い対立の原因となっています。トルコとアルメニアも、日本でいうところの中国との「南京大虐殺」や、韓国との「従軍慰安婦」のような歴史認識問題で揉めているわけです。

富士山を敵に奪われたようなストレス⁉

トルコとアルメニアが仲が悪いもうひとつの理由は、アルメニア人の聖地とされているアララト山の存在です。

アララト山は、『旧約聖書』に登場する「ノアの方舟（はこぶね）」が大洪水後に流れ着いた山だと言われています。

それが事実かどうかはともかく、アルメニア人はアララト山がノアの方舟ゆかりの地であることを誇りに思い、民族のシンボルにしてきました。たとえばお酒のラベルなど、アララト山は日常のさまざまなところでアルメニアの象徴として使われています。

アルメニアの首都エレバンから見えるアララト山

1992年4月28日の再独立後、アルメニアで発行された最初の切手の小型シート。切手部分はアルメニアの象徴とされるアララト山を背景に、国旗色の鳥が飛ぶデザインになっている。

ところが、そのアララト山は現在、トルコ領内にあります。

アララト山周辺はかつてはアルメニア人が住んでいた土地でした。

しかし、13世紀にオスマン帝国ができるとやがてその支配下に入り、第一次世界大戦中には前述の「アルメニア人大虐殺」の強制移住で大半のアルメニア人がそこからいなくなってしまいます。

そして第一次世界大戦後、オスマン帝国が滅んで現在のトルコとアルメニアの国境線が決まる過程で、アララト山はトルコ領になりました。

とはいえ、アララト山はアルメニアの国境からそれほど離れていません。なので、今でもアルメニア国内からアララト山をはっきりと目にすることができます。

しかし、アルメニア人からすると、大嫌いな国にある〝自分たちの聖地〟が日常的にきれいに見えれば見えるほど、余計にモヤモヤしてストレスがたまってしまいます。

日本でたとえるなら、第二次世界大戦後に日本の領土が分割され、日本のシンボルである富士山を他国の領土にされてしまった（しかもそれが自分たちの住んでいるところから日常的にきれいにはっきり見える）という感覚に近いかと思います。

世界に影響力を持つアルメニア・ロビーとは？

アルメニア人は第一次世界大戦中の「大虐殺」後、先祖代々の土地を失いながらも生き残った人々が全世界に散らばって各地でコミュニティをつくるようになりました。

世にいう「アルメニア人のディアスポラ（民族離散）」です。

難民との違いがわかりにくいかもしれませんが、ディアスポラの場合、難民のように元の土地に帰る可能性のある人々のイメージではなく、離散先の土地に永住して現地に定着している人々のイメージで語られます。先祖伝来の土地であるエルサレム（イスラエル）を去って世界各地にコミュニティを築いているユダヤ人がその代表例です。

実はアルメニア人も「大虐殺」以前からたくさんの人々が海外に渡り、各国でコミュニティを築いていました。今日では、アルメニア人はユダヤ人と並び「ディアスポラ」の代名詞的な存在になっています。

アルメニア人の移住先の国としていちばん多いのはロシアで、次がアメリカ、3番目はフランスという順位です。

アルメニア人ディアスポラのなかには優秀な人材やお金持ちが多いので、それぞれの移住先でのロビー活動を通じて各国の政界や国際社会に隠然たる影響力を持っています。

欧米でよくアルメニア人大虐殺の追悼記念碑が建てられたり、追悼記念日がつくられたりするのは、実はこのアルメニア・ロビーが深く関わっているからです。他にも、アルメニア・ロビーはトルコへの経済支援に対しても反対活動をすることがあります。

こうした経緯から、アルメニアもトルコもお互いに恨みが募り、まさに〝不倶戴天の敵〟として今日まで対立し続けてきました。

アルメニアがアゼルバイジャンと仲が悪いのも、そもそもアゼルバイジャンが〝トルコ系の国〟であることと無関係ではないのです。

トルコ近代化のために宗教を排除した「建国の父」ムスタファ・ケマル

トルコとアルメニアの関係性が何となくでもわかっていただけたでしょうか。

ナゴルノ・カラバフ紛争では、このようにアルメニアと仲の悪いトルコが、〝弟分〟のトルコ系国家・アゼルバイジャンを支援してアルメニアと対立してきたわけです。

さらに、現在のトルコでは、レジェップ・タイイップ・エルドアンという、従来のトルコ共和国の枠組の見直しを進めようとしている大統領が権力を握っていることも、今回のナゴルノ・カラバフ紛争に大きな影を落としています。

第一次世界大戦後、オスマン帝国の滅亡を経て成立したトルコ共和国は、かなり強固な〝世俗主義（ライクリッキ）〟を国是としてきました。

世俗主義とは、政治から宗教を分離・排除するという、いわゆる「政教分離」につながる考え方です。

ムスタファ・ケマル・アタテュルク

トルコ共和国の初代大統領となったムスタファ・ケマル・アタテュルクは、19世紀以降のオスマン帝国が「ヨーロッパの瀕死（ひんし）の病人」と呼ばれるほどに衰退し、列強諸国の反植民地状態に陥った原因はイスラムの後進性にあり、新生トルコ共和国として再建するためには、宗教を政治から徹底的に分離することが必要と考えました。

そこで、ケマル政権下のトルコでは、フランスのライシテ（政教分離原則）を参考にしたライクリッキが導入されます。

フランスのライシテは、非常に単純化して説明するなら、「国家ならびに公的機関の非宗教性を確立し、私的領域における信教の自由を保障する〝政教分離〟原則」ということになります。

もともと1789年にフランス革命が起きるまで、フランスではカトリックの力が非常に強かったため、革命派はそれを抑え込む必要がありました。

「信教の自由」は、現行の日本国憲法でも保障された基本的人権のひとつです。多くの日本人にとっては議論の余地もない自明のことと理解されていますが、ヨーロッパやイスラム世界ではそうではありませんでした。

特に、カトリックの強い地域では、人々は生まれながらにしてその地域の教会で洗礼を受け、ローマ教皇を頂点とする〝信仰のピラミッド〟のなかで生きていくのが暗黙の前提でしたから、それに異議を唱えるプロテスタントに対しては、異教徒以上の迫害が加えられ、血で血を洗う宗教戦争が数世紀にもわたって展開されてきました。

余談ですが、「自由」、「平等」、「友愛」、「寛容」、「人道」の基本理念のもと、〝宗教の枠〟を超えて活動しようという友愛互助組織のフリーメイソン（その派生形が、いわゆるロータリークラブやライオンズクラブです）が危険な組織として迫害を受け、その結果として〝秘密組織化〟せざるをえなくなったのも同じ事情からです。

フリーメイソンのように宗教の枠を超えること、すなわち、特定の宗教を持たずに理性や自由博愛の思想を掲げることは、〝特定の宗教に優越的な地位を与えない〟ということでもあり、それは〝カトリックの優越性を否定〟することにつながります。カトリック側からしたら、当然許されるものではありません。

フリーメイソンの会員のなかには、〝カトリックの優越的な地位を否定する運動〟としてのフランス革命に共感し、その中軸を担った人物もいました。反革命派がそのことを理由に、フリーメイソンを「体制転覆の陰謀組織」として攻撃したことから、一部の陰謀論者がフリーメイソンを面白おかしくオカルト的な物語のネタにするという構図が生まれたというわけです。

「建国の父」に挑むエルドアン政権の新オスマン主義とは？

話を戻しましょう。

トルコ「建国の父」、ムスタファ・ケマルはイスラムの後進性を問題視し、国家再建のためには政治と宗教の分離が不可欠だと考えました。そこで、フランスのライシテ（政教分離原則）を参考にライクリッキ（世俗主義）を国是として導入した、という話でしたね。

当初のフランスのライシテは、あくまでも、社会的に圧倒的なプレゼンスを誇っていたカトリックを抑制するものであり、必ずしもユダヤ教徒やムスリムなどの権利を抑制するものとは考えられていませんでした。しかし、カトリックの社会的な影響力が徐々に低下していくなかで、やがて、すべての宗教に対して、信徒が公の場で自らの信仰を表明することさえも規制していくようになります。

ちなみに、日本をはじめ各国のメディアで「フランスの極右勢力」として紹介されることの多いマリーヌ・ル・ペンは、ライシテの厳格な運用を唱える立場から、イスラム原理主義のホモフォビア（同性愛嫌悪）から同性愛者を守ると主張し、そのためにはムスリム移民を制限すべきだと訴えています。

さて、ケマルの晩年、１９３７年にトルコで確立された「ライクリッキ原則」は、そうしたフランスのライシテを元にしたもので、そのポイントは、以下のようにまとめられます。

・宗教が国家事項を支配せず、それに影響を及ぼさないという原則を承認すること。

・宗教が個人の精神的営為に関する宗教信仰の領域で差別されることのない、無制約の自由を承認するように、宗教を憲法的保障のもとに置くこと。

・宗教が、個人の精神的営為を越え社会的営為に影響を及ぼす活動および態度に関する領域で、

公の秩序、安全および利益を保護する目的で限界づけを承認し、宗教が濫用されること、およびそれが利用されることを禁止すること。

・国において、公の秩序および諸権利の保護者として、宗教的な権利および自由に関する監督権限を承認すること。

この文言を具体化する政策として、ケマルはすべての宗教団体の結社を禁じる一方、宗教事項を総理府所属の宗務庁の統括下に置きました。

そして、宗務庁が、全国すべてのモスクを維持・設置するとしたうえで、礼拝の導師や説教師を〝公務員〟として採用し、コーラン学校やイマーム（導師）学校を監督運営するシステムを構築します。

ようするに〝宗教（ここでは主としてイスラム）〟をきわめて厳格に国家が管理し、トルコ共和国の進める世俗的で近代的な国民国家のあり方に反しない範囲に押し込めたうえで、完全に統制しようというわけです。

なお、トルコの現行憲法（1982年憲法）では、国家の基本理念として、第2条で「トルコ共和国は…（中略）…アタテュルク精神に忠実で…（中略）…民主的、非宗教的、社会的な法治国家である」と規定したうえで、その枠内における宗教的自由（第24条第1項）、国家の

レジェップ・タイイップ・エルドアン

非宗教性（第24条第4項および第5項）を定め、ライクリッキに違反する活動の中心となった団体に対しては、憲法裁判所による終審判決によって解散が命じられる（第68条）ことになっています。

ケマルは１９３８年に亡くなりましたが、彼の死後も、「建国の父」としての権威は絶大で、トルコ国内では、ケマル批判はタブー視されてきました。

ところが、トルコの国民は90％以上がムスリムですから、ライクリッキ原則を貫徹しようとすれば、社会的な摩擦は避けられません。

国軍が〝世俗主義の守護者〟となり、イスラム勢力の伸長を力ずくで抑え込んできたというのが、20世紀末までのトルコの基本的な構造でした。

これに対して、２００３年3月9日、「軍部の政治介入をやめさせて、トルコを〝先進的な民主国家〟にする」との公約を掲げて、政権を獲得したのがＡＫＰ（公正発展党）のエルドアンです（当時のトルコでは、大統領は形式的な元首だったため、当初、エルドアンは政治的実権を持つ首相に就任）。

エルドアンは、国民の大半がムスリムであるという実情を踏まえ、イスラム色の強い政策を推進するとともに、憲法改正を行って、世俗派の牙城である国軍の権限を縮小するなどの政策を推進していきました。

そして、その過程で、２０１６年7月15日、国軍による反エルドアンのクーデター未遂事件が発生すると、エルドアンは軍の叛乱を鎮圧し、トルコ全土で少なくとも軍関係者１５６３人を逮捕。軍を去勢して、イスラム回帰の傾向をさらに強めていくことになります。

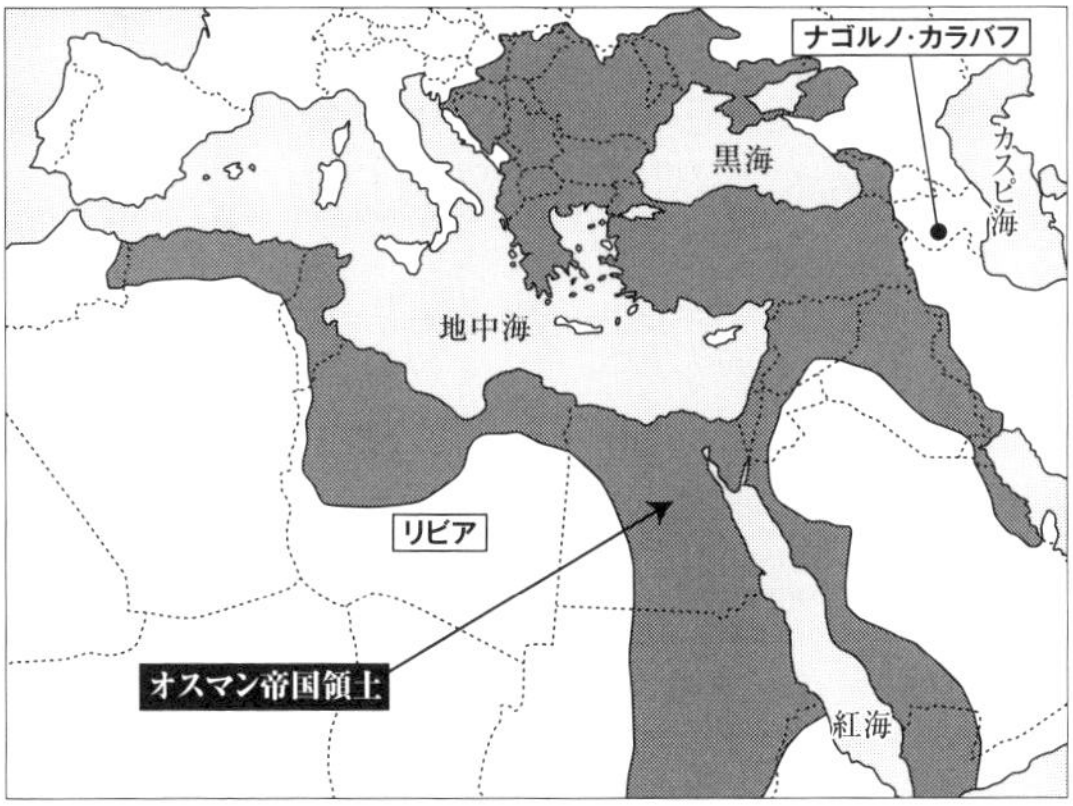

オスマン帝国の最大領土（1683 年）※点線は現在の国境

このように、エルドアンの政策は「トルコの建国の父（アタテュルク）」であるケマルの路線を大幅に修正するものでしたが、現在もなお、トルコ社会におけるケマルの権威は絶大で、彼は〝神〟にも等しい立場にあるといってもいいというのが実情です。

そこで、エルドアンはケマルの権威に対抗するための新たなイデオロギーとして、〝新オスマン主義〟を掲げます。

これは、実際にかつてのオスマン帝国を復活させようというわけではなく、オスマン帝国の影響下にあった地域と中央アジアのトルコ系諸民族が多数派を占める地域にトルコ政府の政治的・外交的関与を広げようというもので、近年のトルコの対外政策の大きなバックボーンになっています。

なぜトルコは各地の紛争に介入しているのか?

近年のトルコは、地中海南岸のリビアからナゴルノ・カラバフのあるコーカサスにいたるまで、非常に広大なベルト地帯の紛争に介入してきました。

これこそまさに、エルドアン政権の掲げる新オスマン主義の実践といってよいでしょう。ただし、このベルト地帯の紛争には、政治イデオロギーの問題だけでなく、石油・天然ガスの多くを輸入に頼らざるをえない〝トルコのエネルギー事情〟も密接に絡んでいます。突飛なたとえかもしれませんが、いわゆる大東亜戦争で、我が国は「アジアの解放」を大義名分として掲げる一方、戦争の最大の目的は、蘭印（オランダ領東インド。現インドネシア）の石油資源をはじめ、東南アジア諸国の資源を獲得することにあったことを思い起こすとイメージがわきやすいかもしれません。

この観点から重要なのが、まずはベルト地帯の西端に位置する産油国、リビアです。

現在のリビア国家の領域は、1911年にイタリアが占領するまでオスマン帝国の直轄統治下に置かれていました。

その後、第二次世界大戦を経て、1949年には、内陸部を拠点に独立運動を展開していたイスラム神秘主義のサヌーシー教団のイドリース1世が、リビア東部のキレナイカの独立を宣言。このキレナイカと、隣接するイタリアの植民地だったトリポリタニア（西北沿岸部）とフェザーン（西南内陸部）が連合し、1951年、リビア連合王国として独立します。

1969年には「カダフィ大佐」ことムアンマル・カダフィが革命を起こして王制が廃止し、独裁政権を構築しました。

ムアンマル・カダフィ

しかし、2011年、いわゆる「アラブの春」（2010年のチュニジアでの革命をきっかけにアラブ世界に広がった、反独裁政権の民主化運動）の余波がリビアにも波及して、リビアは内戦に突入し、カダフィ政権は崩壊します。

カダフィ政権崩壊後、いったんは首都トリポリで国民評議会による新政権が成立したものの、2012年3月

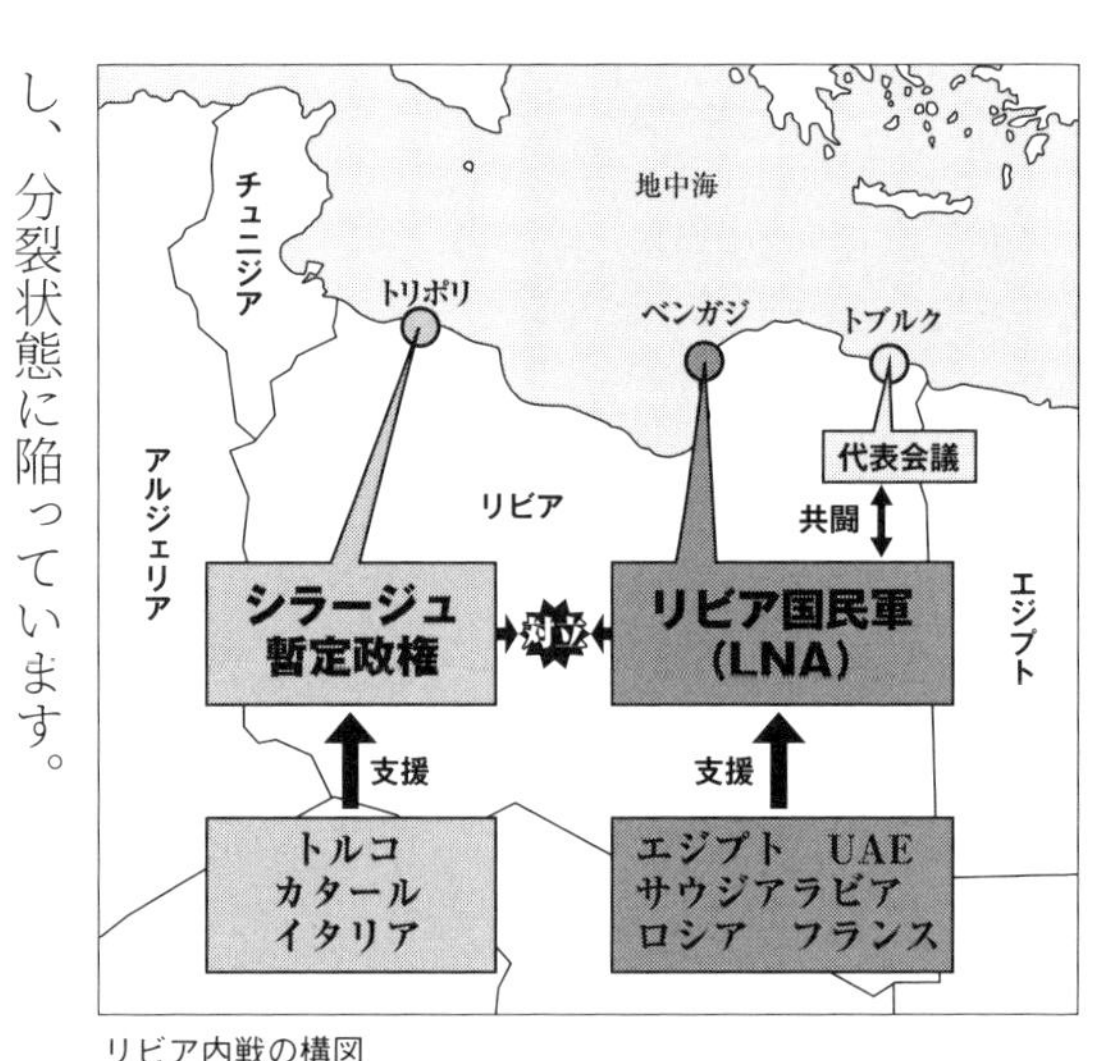

リビア内戦の構図

6日、リビア東部の有力部族や民兵組織の指導者らがベンガジで会議を行い、〃キレナイカ暫定評議会〃の樹立を宣言。トリポリを拠点とする国民評議会とは別に、旧キレナイカ地域での自治を行うことを決定します。

以後、リビアでは東西の対立が激化し、2014年には西（トリポリ）と東（トブルク）に分裂しての内戦に発展します。このため、国連主導で2015年に国民統一政府が樹立され、ファイズ・シラージュ暫定首相が就任したものの、東部を拠点に武装組織のリビア国民軍（LNA）を率いるハリファ・ハフタルが同政府を拒否し、分裂状態に陥っています。

ハフタルはイスラム原理主義勢力と距離を置いていた旧カダフィ独裁政権の軍高官で、イスラム過激派の排除を掲げており、サウジやエジプト、アラブ首長国連邦（UAE）、ロシア等が支援しています。

一方、国連が支援してきたシラージュ暫定政権はイスラム勢力と近く、サウジと対立するカタールやトルコなどが後ろ盾となってきました。

トルコがリビア暫定政権を支えなければならない事情とは？

トルコがシラージュ暫定政権を支援する背景には、旧オスマン帝国時代にリビアを支配してきたという歴史的経緯に加え、欧州向けのガス・パイプラインに関して東地中海沿岸国の計画から排除されてきたという事情があります。

東地中海では、２００９年以降、ガス田の発見が相次ぎ、ギリシャ主導のパイプラン計画が進行していました。

その中心となったのが、

①エジプト・エネルギーハブ化構想：採掘したガスをエジプトに送り、ＬＮＧ（液化天然ガス）に加工して輸出

②東地中海パイプライン構想：イスラエル沖合で採掘したガスをギリシャへと伸びる１９００キロメートルのパイプラインを建設して輸出

の両プロジェクトです。

その実現に向けて、関係する7つの国と地域（ギリシャ、エジプト、イスラエル、イタリア、キプロス、ヨルダン、パレスチナ）は「東地中海ガスフォーラム」を結成しました。しかし、後述のキプロス島問題などで歴史的にトルコと因縁のあるギリシャは、仮想敵国のトルコをどちらのプロジェクトからも排除しています。

このギリシャの動きに当然トルコは反発しました。そして、2019年11月、地中海対岸のリビアのシラージュ暫定政権とともに、パイプラインの敷設ルートをふさぐかたちで、排他的経済水域（EEZ）を設定します。ようするに、「ここ（トルコとリビアのEEZ）を通るパイプラインを敷くなら、トルコとリビアの承諾を得てからにしろ」というわけです。

もちろん、トルコがパイプラインのルートをふさぎ続けるには、シリアのシラージュ暫定政権という〝相方〟が必要不可欠になります。だからこそ、トルコはシラージュ暫定政権を支えなければならないのです。

ところで、リビアの石油利権をめぐっては、東部の油田地帯に権益を持つことからフランスがハフタルを支援しています。

一方、リビアの旧宗主国であるイタリアは、自国の油田の利権を確保すべく、暫定政権を支援しており、そのことが、さらに内戦を複雑化させています。

こうした状況のもと、２０１９年春、ハフタルのリビア国民軍がトリポリに向けて進撃を開始したものの、シラージュ暫定政権側の抵抗にあい、戦局は膠着（こうちゃく）。そこで、プーチンロシア大統領の側近が率いる民間軍事会社〝ワグナー・グループ〟が、兵器や戦車、無人機などをリビアに搬入して現地で活動を開始すると、リビア国民軍の無人機による攻撃も増加し、暫定政府側は劣勢に追い込まれました。

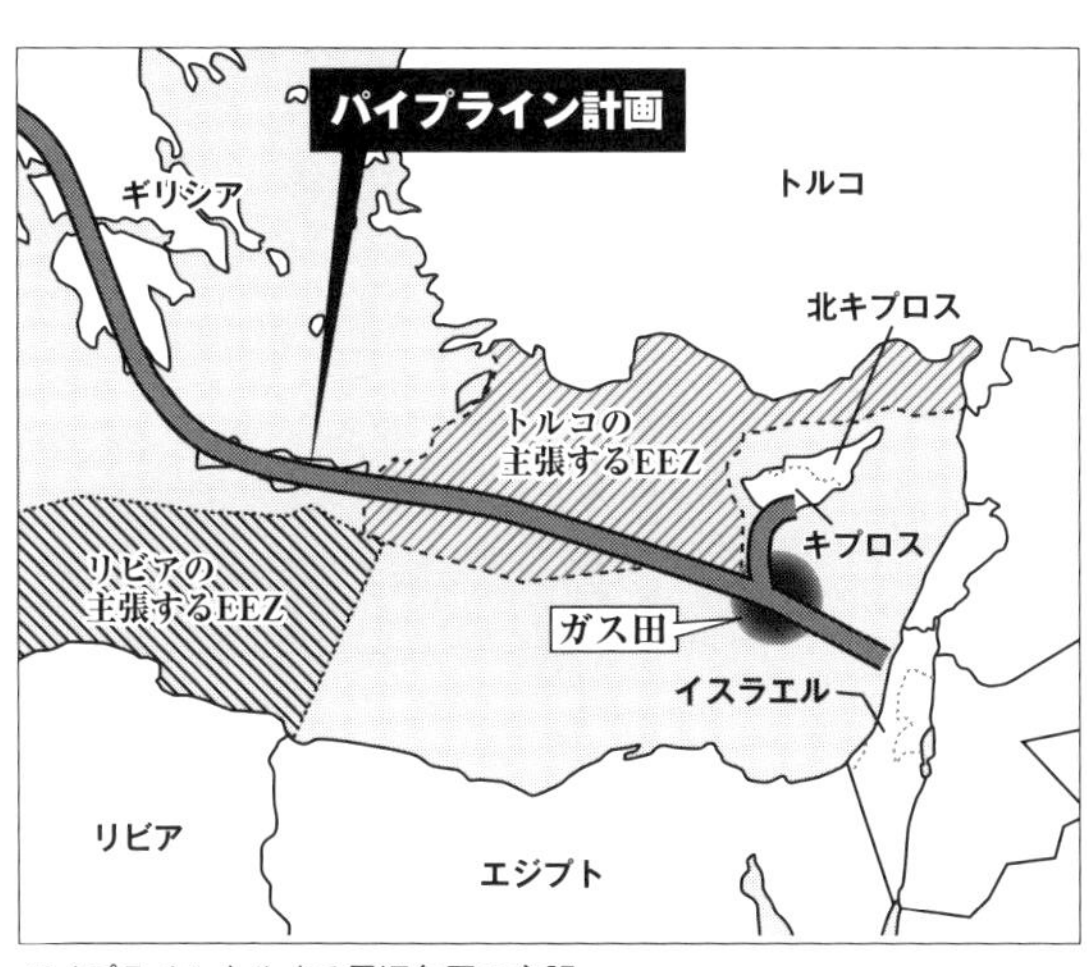

パイプラインをめぐる周辺各国の主張

それを受けて、２０１９年11月、暫定政府側は、トルコとの間で、トルコが暫定政府の部隊に訓練や武器を提供するほか、共同軍事計画に関して助言したり、人員を派遣したりすることなども定めた軍事協力の覚書に合意。翌12月、トルコのエルドアン大統領も、暫定政権側から正式な要請がきたとして、国会の承認を経て軍事支援を拡大する方針を表明します。そして、２０２０年１月、あくまでも暫定政権からの要請を受けたというかたちで、トルコはリビアに派兵しました。

当然のことながら、ハフタルのリビア国民軍と、彼らを支持するロシアやエジプト、サウジなどは、トルコの決定に強く反発します。

これによりリビアの内戦は、ますます〝周辺国の代理戦争〟の色彩が濃厚になりましたが、同年6月には、トルコの支援を受けたシラージュ暫定政権が、首都トリポリの奪還を宣言。とりあえず、軍事的にはトルコはリビアで〝実績〟を上げることに成功しました。

トルコだけが国として認めている北キプロス

トルコがリビアの内戦に介入した最大の動機は、リビアの石油を確保し、安定的に本国へ輸送することにあったのは明らかです。しかし、肝心のリビアの石油をトルコに輸送するための東地中海パイプライン計画には、別のかたちで、キプロスとフランスが（表向きはリビア問題とは無関係の）ＥＥＺ問題でトルコを非難し、横やりを入れてきます。その背景として、トルコがＥＵなどから非難されている北キプロス・トルコ共和国（以下、北キプロス）の問題があり、それゆえ、トルコをこの地域から排除したいという思惑があったことは明らかです。

一方、この時期、北キプロスでは大統領選挙が行われ、２０２０年10月18日の決選投票で、右派・国民統一党（ＵＢＰ）のエルシン・タタルが、左派・共同民主党（ＴＤＰ）の現職ムスタファ・アクンジュを僅差（52：48）で破って当選しました。

さて、ここで「キプロス」という、またもや我々日本人にとってあまり馴染みのないワードが出てくるわけですが、これもトルコが紛争ベルト地帯で関わっている問題のひとつです。

東地中海に浮かぶキプロス島は、１８７８年、イギリスがオスマン帝国から賃借するというかたちでイギリスの支配下に置かれ、１９２５年以降のイギリス直轄統治領時代を経て、１９６０年8月16日にキプロスとして独立しました。

もともと、この島にはトルコ系住民（約20％）とギリシャ系住民（約80％）が並存しており、それぞれ、トルコないしはギリシャとの併合を求める声が根強く存在していました。そのため、独立時の憲法では、「大統領はギリシャ系から、副大統領はトルコ系から選出される」と規定され、初代大統領にはキプロス正教会首座主教であるマカリオス３世が、副大統領にはトルコ系住民代表のファーズル・キュチュクがそれぞれ就任しました。

しかし、キプロスの総人口に比して、公務員におけるトルコ系の占める割合が高かったことから、これを是正するため、１９６３年には憲法修正が検討されるようになります。

一方、既得権を失うことになるトルコ系は、憲法改正がキプロスのギリシャへの併合につながるとして強く反発。さらに、ギリシャ系の過激派によりトルコ系国会議員３人が殺害される事件が起こったことから、ついに内戦が勃発します。

このときの内戦はアメリカが介入し、国連が平和維持軍を派遣したことで同年末には停戦が成立しました。

しかし、1974年7月、当時のギリシャ軍事政権の支援を受けたギリシャ系治安部隊のクーデターを契機に、「トルコ系住民の保護」を名目としてトルコが軍事介入。その結果、全島の37％に相当する北部の地域はトルコの実行支配下に置かれ、1975年、「キプロス連邦トルコ人共和国（現在の北キプロス・トルコ共和国の前身）」の成立が宣言されました。

北部のトルコ人共和国政府は、南部のギリシャ系共和国政府に対して、キプロス共和国を南北対等の連邦国家として再統合することを要求しました。それに対して、ギリシャ系共和国政府側はクーデター以前の体制への復活を要求します。

1977年には、南北両大統領による直接交渉が行われましたが、結局合意にはいたらず、1983年11月15日、北部政府が「北キプロス・トルコ共和国」の独立宣言を一方的に採択。これにより、キプロスの南北分断が決定的になりました。

ちなみに、北キプロスを国家として承認しているのはトルコだけであり、独立宣言から今日にいたるまで、国際的に孤立した状態が続いています。一方、キプロス共和国はトルコ以外のすべての国連加盟国（192カ国）から国家承認されています。

ナゴルノ・カラバフ紛争と東地中海情勢のリンク

２０２０年の北キプロスの大統領選挙で当選した右派・国民統一党（ＵＢＰ）のエルシン・タタルは、北キプロス独立の指導者だったデンクタシュ初代大統領（故人）の後継者で、明確な親トルコ派（＝対ギリシャ強硬派）の人物です（キプロスとの連邦形式での〝統一〟には反対）。大統領就任後早々の10月26日には、初の外遊先としてトルコを訪問しています。

タタルのトルコ訪問に先立ち、トルコのファアト・オクタイ副大統領は、北キプロス内のカパル・マラシュ（ギリシャ語名ヴァローシャ）地区を訪問し、北キプロスとの連携をアピールしました。

マラシュは、かつてはリゾート地として多くの観光客でにぎわっていましたが、１９７４年のトルコ軍侵攻以来、トルコが占領し封鎖していました。それが２０２０年になって46年ぶりに部分的にですが開放されたといういわくつきの土地です。こうした場所を現職の副大統領が訪問することは、東地中海のパイプライン問題でトルコの邪魔ばかりしてくるギリシャへの〝牽制〟以外の何物でもありません。

このようにトルコは、新オスマン主義の実践と、エネルギー戦略に基づき、紛争ベルト地帯西側の東地中海で暴れているわけです。一方、紛争ベルトの東端に位置するナゴルノ・カラバフでのトルコの行動も、これら西側での一連の動きとリンクしています。

「オスマン帝国の旧領」という点でいえば、アゼルバイジャンは、第一次世界大戦末期のごく短期間、オスマン帝国がバクーの民族主義政権の後ろ盾になっていたことがあるだけなので、リビアやキプロス、シリアなどと同列に扱うことは難しいのですが、アゼルバイジャンの人口の大半はトルコ系ですから、トルコから見れば、兄弟国のような存在です。宿敵アルメニアを挟み撃ちにするためにも、トルコがナゴルノ・カラバフ紛争でアゼルバイジャンを支援するのは当然の選択です。

実際、エルドアンは以前からアゼルバイジャンを非常に重要視しており、2014年に大統領に就任したあと、最初の訪問国としてアゼルバイジャンを選んでいます。今回の紛争でもシリア人の傭兵を配備したり、武器を送ったり、軍事顧問を派遣したりして、積極的に支援していました。

ただし、そうしたトルコのアゼルバイジャン支援の背景には、やはり単なる政治イデオロギーだけではなく、東地中海での紛争と同様の〝エネルギーの問題〟があったことを見逃してはなりません。

あらためて言うまでもないことですが、アゼルバイジャンは石油と天然ガスの宝庫であり、アゼルバイジャンからジョージア経由でトルコにいたるＢＴＣパイプラインは、トルコにとって極めて重要なインフラです。

また、BTCパイプラインの終着点であるトルコ南部の港湾都市ジェイハンは、アゼルバイジャン産原油を地中海からヨーロッパへ運ぶ玄関口になっています。トルコがヨーロッパの燃料の喉元を握って国際的な影響力を高めるという意味でも、アゼルバイジャンはトルコにとって重要なパートナーなのです。

ロシアが中立を貫いた理由とは？

ところで、エネルギーの問題に関していうと、トルコには、潜在的な敵国であるロシアからの輸入に依存しているという〝弱み〟があります。たとえば、2011年から2017年にかけて、トルコは天然ガスの5割以上をロシアから輸入していました。もっとも、最近はエネルギー輸入の多角化を進め、2019年にはロシアからの天然ガス輸入を3割台にまで減らすことに成功しています。

このロシアから減らした分を補ったのが、アゼルバイジャンからの輸入です。

2020年5月にはアゼルバイジャンからトルコへの天然ガス輸入量が、ロシアからの2・5倍にも達しています。

さらに、注目しておきたいのは、２０２１年には、トルコは、ロシアとの天然ガスの長期契約の更新時期を迎えるということです。トルコからすれば、契約更改交渉を有利に進めるためにも、アゼルバイジャンのエネルギー資源を確保しておかなければなりません。

前述の通り、ナゴルノ・カラバフ紛争はＢＴＣパイプラインの安全の問題とも深く関わっているので、アゼルバイジャンとトルコの利害は、ＢＴＣパイプラインをしっかりと守らなければならないという点でも一致しています。そして、それがそのままトルコにとっては、ナゴルノ・カラバフ紛争でアゼルバイジャンを支援する理由になるわけです。

では、トルコがアゼルバイジャンを支援すれば、トルコと敵対するロシアはアルメニアを支援するのかというと、そう単純な話ではありません。

よくロシアは「アルメニアの保護者」と言われることもありますが、実はアゼルバイジャンとも友好的な関係を築いています。

アゼルバイジャンは中央アジアの国々の例にもれず独裁国家です。しかも、現大統領のイルハム・アリエフは、先代大統領の父ヘイダル・アリエフから権力を世襲しています。基本的に独裁国家と波長が合うプーチンからしてみれば、安定政権の付き合いやすい国なのです。また、アゼルバイジャン側もわざわざロシアと敵対する理由がありません。

一方、アルメニアは長らくロシアの支援を受けてきましたが、２０１８年に政変が起こり、親西側派の政権が誕生しました。当然ロシアからするとそのような政権を支援するのは面白くありません。

こうしたこともあって、今回のナゴルノ・カラバフ紛争では、ロシアもアルメニアに一方的に肩入れする気分にはなれない状況だったわけです。

加えて当時ロシアでは、国内経済が悪化し、極東の大都市、ハバロフスクでは反モスクワデモが頻発するなど、地方の政情が不安定になっていたうえに、ベラルーシやキルギスなど、周辺諸国でもさまざまな軋轢が生じていました。

アルメニアもアゼルバイジャンも旧ソ連の国なので、ロシアはどちらも自分の〝子分〟だと思っています。ロシア自体が大変なときなのに、〝子分〟同士で揉められては困るわけです。

ロシアに国防だけ頼りたいアルメニア

ここでアルメニアとロシアの関係が微妙になった経緯についても見ておきましょう。

アルメニアはもともとキリスト教国家ですが、ロシアの集団安全保障体制の条約に参加しており、国防の面ではロシアに頼っています。いくら欧米に移民したアルメニア系の人々によるロビー活動（アルメニア・ロビー）が国際社会に強い影響力を持っているとはいえ、やはりアルメニア自体は小国なので、軍事力は弱いわけです。

ロシアはアルメニアに国防の見返りとして経済協力を求め、２０１５年にロシア主導で発足したユーラシア経済連合（ＥＥＵ）への参加を強要しました。

しかし、アルメニアからすると、ロシアと経済協力してもあまりメリットがありません。ユーラシア経済連合はＥＵのような協定ですから、国境を接している地続きの国同士が参加すれば関税面などでメリットがあります。

ところが、次ページの地図を見ていただくとわかるように、アルメニアはロシアとも他の参加国とも国境を接していません。アルメニアのように「飛び地」の国が参加してもあまりメリットがないのです。それでも、やはり国防の問題があるので、アルメニアもしぶしぶユーラシア経済連合に入りました。

しかし、２０１８年に政権交代が起こり、野党の指導者だったニコル・パシニャンという人物が首相になったことで風向きが変わります。

パシニャンは親西側派の政治家で、野党時代には「アルメニアはユーラシア経済連合に入ったけど、実はイヤイヤだったんだよ」という身もフタもない〝本当のこと〟を堂々と言っていました。首相就任後には「ロシアなんかと仲良くしていてもしょうがないよ」という思い切った発言までしています。

ユーラシア経済連合の加盟諸国

当然、ロシアからすると、こういう人物がアルメニアの指導者になるのは面白くありません。いってみれば、ロシアの盃を受けていた〝忠実な子分〟がいきなり〝不義理を働く輩〟になったみたいなものです。

しかも、都合のいいときだけ「ロシアの親分、〝国防だけ〟は頼みます」と言ってくるわけですから、ロシアが不機嫌になるのも無理はないでしょう。

ロシアをさらに苛立たせたのは、今回のナゴルノ・カラバフ紛争でアメリカやフランスがアルメニアを応援していたことです。

アメリカでは、イスラエル・ロビーに次ぐとされるほどアルメニア・ロビーが政界に非常に強い影響力を持っています。

今回のナゴルノ・カラバフ紛争時、アメリカは大統領選挙とその他の議会選挙の真っ最中だったこともあり、アメリカの政治家たちはアルメニア支持を表明しました。正確に言うと、少なくとも選挙期間中は、民主党・共和党に関わらず、アルメニア・ロビーの影響力を恐れてアルメニアを支持せざるをえなかったわけです。

ニコル・パシニャン

フランスも前述の通り、アルメニア系の移民がロシア、アメリカに次いで3番目に多い国なので、アルメニア・ロビーが政界に強い影響力を持っています。さらにフランスの場合は、過去にトルコと東地中海のガス田をめぐって争ったという因縁もあるので、アゼルバイジャンのバックにいるトルコを牽制する意図からも、9月27日の紛争勃発から3日後の30日には、マクロン大統領がトルコを非難してアルメニアを支持する声明を発表しています。

しかし、ロシアからしてみれば、ここでアメリカやフランス（EU）が出しゃばってくるのは面白くありません。「アルメニアの野郎、日頃は俺が〝ケツ持ち〟してやっているのに、（敵対する）アメリカやフランスまで巻き込みやがって……」と腹立たしいわけで、ロシアのメディア（基本的にプーチン政権のコントロール下にあります）には、「アルメニアはフランスを巻き込んで大きなミスを犯した」との論評が大々的に掲載されました。

ナゴルノ・カラバフ紛争については、日本のメディアでは「ロシアとトルコの代理戦争」とする安易な説明がなされることも多いようですが、実はそんなに単純な構図でないことは、このロシアとアルメニアの微妙な関係からも明らかでしょう。

ロシアとトルコはいつも敵対しているわけじゃない？

さて、確かにロシアはこれまでリビア・東地中海・コーカサスのベルト地帯でトルコと対立してきました。

コーカサスのナゴルノ・カラバフ紛争も、いうなればその舞台のひとつです。

しかし、トルコとロシアの対立関係は、〝いつでもどこでも敵対する〟という単純なものではありません。

ロシアの理想は、かつての米ソ冷戦時代のように、世界を米ロで二極化することです。

しかし、正直なところ今のロシアにはそこまでの力がありません。

そこで、ロシアとしては、世界をロシア、アメリカ、EU、中国で〝四極化〟し、そのパワーバランスのなかで利益の最大化をはかるという戦略に切り替えています。たとえば、アメリカの力が大きくなりそうなら、中国やEUその他の国々を利用してアメリカを抑え、その過程でできるだけ自分たちに有利な展開に物事を運ぼうとしているわけです。

実はトルコも似たような発想で外交戦略を組み立てています。

アメリカやＥＵ、ロシア、中国がさまざまな局面で対立していくなかで、臨機応変に敵味方を使い分け、自分たちの利益を最大化していこうとしているのです。そうなると、時と場合によってはロシアと利害が一致することもあるので、ロシアと手を組むことも選択肢のひとつとして当然あります。

その一例が、たとえば、紛争ベルトの中央付近に位置しているシリアの内戦です。ナゴルノ・カラバフ紛争の話から脱線するうえに、ちょっと長くなりますが、トルコとロシアの複雑な関係性が具体的に現れているので、しばしお付き合いください。

もともと、シリアとトルコは国境を接した隣国です。

シリアはかつてフランスの植民地だった時期がありますが、そのフランス委任統治領時代（１９２０～１９４６年）に、トルコとは国境付近のハタイ県の帰属をめぐって対立した過去があります。最終的に、ハタイ県はトルコ南部に編入されますが、１９４６年のシリア独立後もこの地域をめぐるトルコ・シリア間の緊張は続きました。そうした背景から、トルコはシリア情勢には他国よりも敏感にならざるをえないという事情があります。

２０１１年、チュニジア発の「アラブの春」に触発されてシリアでも内戦が勃発すると、トルコは欧米諸国と共同歩調を取り、与党バアス党（アラブの民族独立・統一、社会主義を目指すアラブ民族主義政党）のバッシャール・アル＝アサドを大統領から退陣させるため、自由シリア軍（ＦＳＡ）などの反政府勢力を積極的に支援していました。

一方、ロシアは旧ソ連時代から、宿敵アメリカの支援を受けるイスラエルへの〝カウンター〟として、反イスラエルのアラブ民族主義政権を支援してきました。そのため、２０１１年に始まるシリア内戦でも、ロシアは欧米諸国やトルコに対抗して、シリアのアサド政権を支援しています。ちなみに、シリア国内には、シリア人男性と結婚してシリアに移住したロシア人女性が2～3万人いると言われています。

ところで、同じく２０１１年に起こった前述のリビア内戦では、当時のロシアのメドヴェージェフ政権が（トルコも属する）ＮＡＴＯによる〝人道的介入〟を容認して苦い経験をしています。すなわち、ＮＡＴＯの介入がロシアの想定していた範囲を超え、ソ連時代からの友好関係にあったカダフィ政権が解体されてしまったのです。

この一件でロシア国内には「メドヴェージェフはＮＡＴＯに騙された！」との認識が広まり、シリア問題に対するＮＡＴＯの対応にも強い不信感が生まれます。そのため、シリア内戦の初期においては、ロシアとトルコは

バッシャール・アル＝アサド

〝通常運転〟の敵対関係にありました。

ところが、トルコが支援していた反アサド勢力の自由シリア軍はきわめて弱体で、西側諸国の期待とは裏腹に、なかなかアサド政権を倒すことができません。

そうしているうちに、シリアでは〝イスラム国〟を自称するイスラム過激派組織、ダーイシュ（以下、日本では「イスラム国」の英文略称〝IS〟が用語として定着していることを考慮して、本書でもこの組織を便宜的に〝IS〟と呼ぶことにします）が混乱に乗じて急速に勢力を拡大し、内戦に介入する欧米勢力を激しく攻撃するようになりました。

トルコを悩ませるクルド人問題とは？

ISの出現に対し、アメリカは、過去にアフガニスタン紛争に直接介入して泥沼化したという苦い経験から、シリアには米軍の地上部隊を投入しませんでした。その代わり、シリアとイラクのバアス党政権下で弾圧を受けていたクルド人（トルコ・イラン・イラクなどの国境付近にまたがって居住する山岳民族）の存在に着目し、シリアを拠点に活動するクルド人政党、シリア・クルド民主統一党（PYD）の軍事部門であるクルド人民防衛隊（YPG）や、イラク・クルド人部隊のペシュメルガを支援し、彼らをISと戦わせます。

一方、アサド政権を支持して、アメリカと対立関係にあったロシアですが、〝イスラム過激派を抑え込む〟という点では、アメリカと利害が一致していました。シリアでＩＳその他の原理主義勢力の伸長を許せば、国内のチェチェン問題（ロシア連邦内のイスラム系共和国であるチェチェン共和国が分離・独立を要求して過去二度にわたり大きな紛争を起こした問題）が再燃する可能性があったからです

こうして、シリア戦線において、欧米諸国とロシアは、いずれもＩＳとの戦いを最優先させることになりました。

しかし、その結果、今度はトルコと欧米諸国との間に溝が生まれてしまいます。

というのも、国内でクルド人との紛争問題（過去にクルド人が自治・独立等を求めてトルコ政府とたびたび武力衝突）を抱えているトルコからすれば、ＩＳ掃討作戦を通じてクルド人勢力の発言力が増すことで、国内情勢が不安定になる恐れがあったからです。実際、シリアを拠点に活動する前出のシリア・クルド民主統一党は、トルコ国内の反政府勢力で軍事力も有するクルド労働者党（ＰＫＫ）と密接な関係がありました。

こうした状況のもと、２０１５年、クルド人民防衛隊がコバニ（シリア北部にあるクルド人の拠点都市）を攻めてきたＩＳを撃退して街の防衛に成功すると（コバニ包囲戦）、トルコとも国境を接するアフリーン・コバニ・ジャズィーラの３地域はクルド人勢力の実効支配地域と

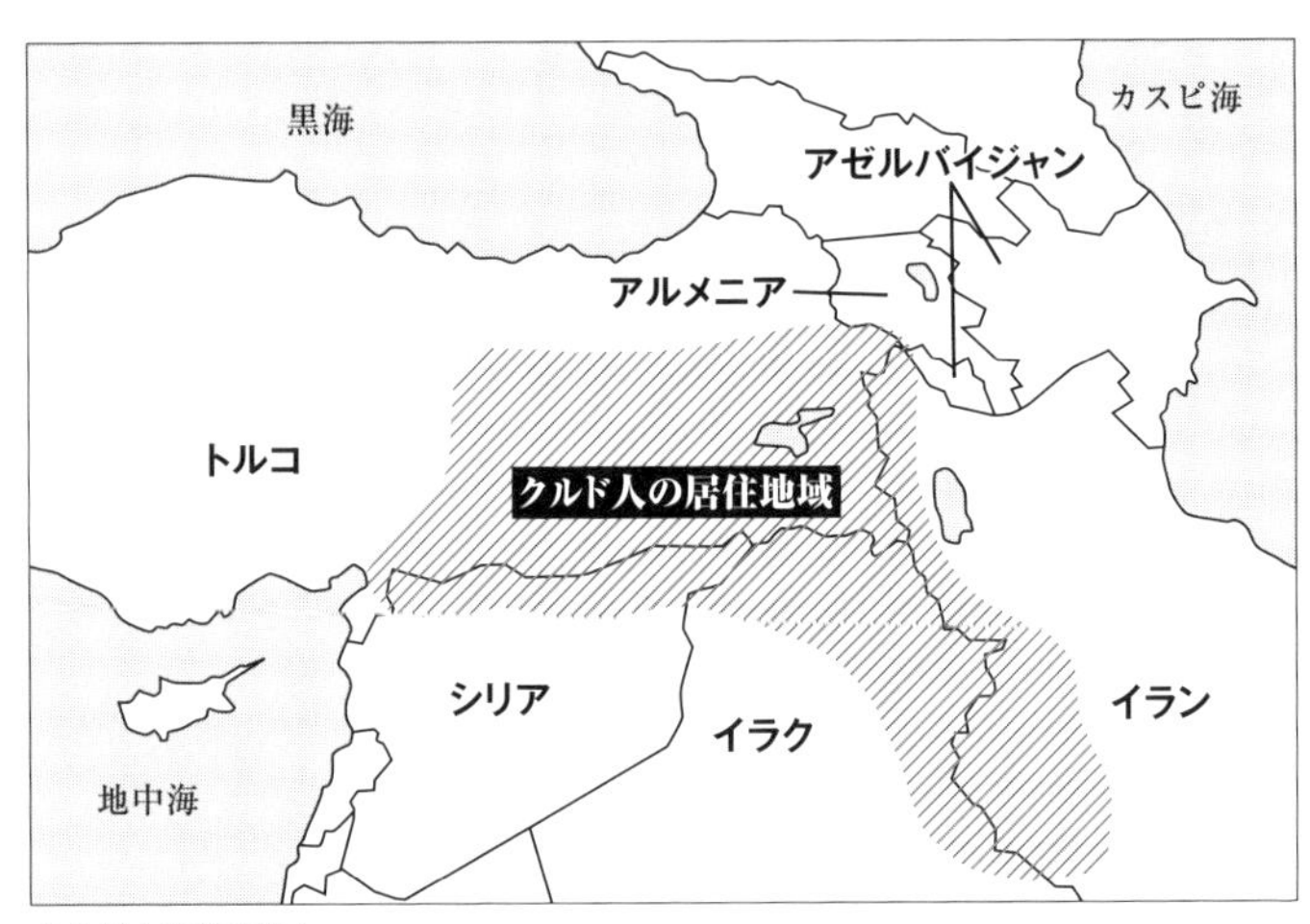

クルド人の勢力拡大

なります。

　これに対して、トルコ政府は、シリア難民を国境付近に定住させて〃人間の盾〃とすることで、クルド人の勢力拡大を阻止しようとしました。

　しかし、このプランはアメリカ、ロシアの双方から反対されたため、早々に頓挫。そうしている間にも、クルド人民防衛隊はシリア北辺での独立国家樹立を目指し、連携関係にある他の民兵集団を糾合してシリア民主軍（ＳＤＦ）を結成しました。

　このクルド人勢力の動きに、情勢の変化を見て取ったアサド政権が反応します。すなわち、クルド人民防衛隊と協調してシリア北東部の自治を事実上黙認することで、トルコに揺さぶりをかけ、反アサド勢力の分断をはかったのです。

　すると、アサド政権を支持するロシアもこれに続きます。

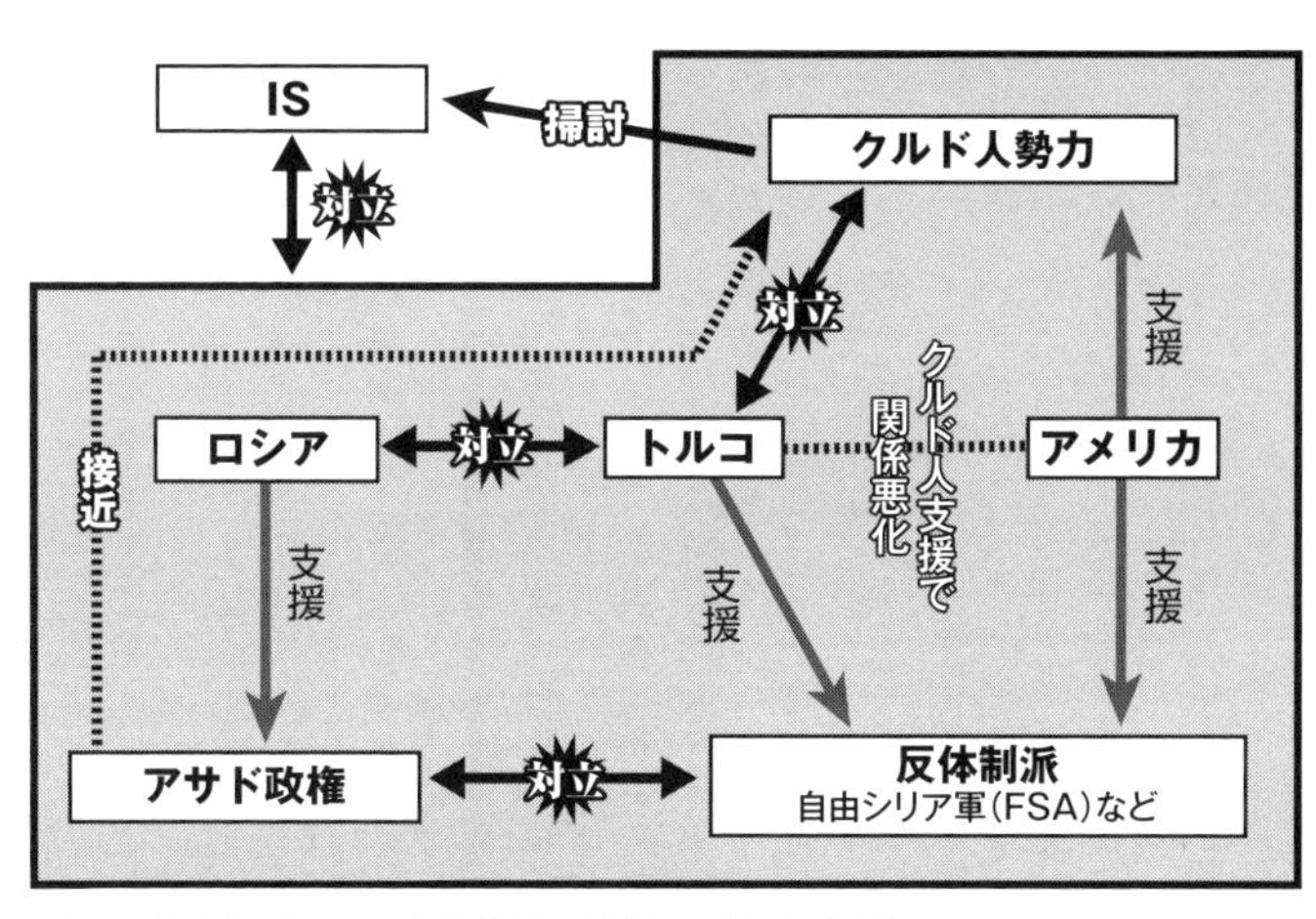

シリア内戦をめぐるトルコと関係各国の相関図（2015年頃）

２０１５年半ば、ロシアは「ＩＳ掃討のため」という大義名分を掲げて、シリアの港湾都市ラタキア（ラタキーヤとも）南東のバーシル・アサド国際空港の隣に、フマイミーム空港を建設。同年9月30日には、空軍基地として同空港の運用を開始しました。

そして、フマイミーム空港に防空システムを配備することで、シリア上空に事実上の飛行禁止区域を設定。それとあわせて、トルコ上空を通過してシリアの反体制派の拠点を空爆し、反体制派の兵站（へいたん）補給を担っていたトルコ系のトルクメン人武装勢力を壊滅させたのです。

一方、トルコ側はロシア側の動きに対し、有効な対抗策を打ち出すことができませんでした。当然、ロシア空軍による領空侵犯について激しく抗議しましたが、ロシア軍はトルコ領空への接近を繰り返します。これに苛立ったエルドアン政権は、２０１５

年11月、ついにロシア軍の爆撃機を撃墜してしまいました。

この事件を機に、トルコとロシアの関係は決定的に悪化。ロシアはアサド政権と連携してシリア・クルド民主統一党を支援するようになります。

なぜエルドアンはプーチンに謝罪したのか？

アサド政権とロシアの支援を受けたクルド人勢力はその後、シリア・クルド民主統一党の軍事部門であるクルド人民防衛隊がＩＳ掃討作戦で実績を積み上げ、2015年末までにコバニとジャズィーラの支配地域を連結させることに成功しました。また、シリア・クルド民主統一党は西クルディスタンの地に事実上の自治政府となる〝ロジャヴァ〟を樹立し、シリアの連邦制への移行を一方的に宣言します。

これによりトルコは、シリアでアサド政権およびＩＳと戦いつつ、ロシアとロジャヴァ、さらに国内のクルド人とも対抗せざるをえなくなり、〝敵〟を整理する必要に迫られました。さすがにこれらの勢力すべてを敵に回すのは得策ではありませんから。

そこで、エルドアンは〝クルド人勢力の排除〟を最優先課題として選択し、ロシアのプーチン大統領に謝罪。アサド政権の後ろ盾であるロシアと和解して、アサド政権の存続を容認する姿勢に転換しました。そして、トルコとの関係改善を受けて、２０１６年3月にはロシア軍がシリアから撤退します。

一方、トルコ国内では２０１６年7月15日に反エルドアン派のクーデター未遂事件が発生しましたが、エルドアンは叛乱鎮圧を名目に、軍と行政機関の粛清を断行し、自分の権力基盤を固めます。

当時アメリカのオバマ政権は、「エルドアンによる〝秩序の回復〟には人権侵害の恐れがある」として、エルドアンを支持しませんでした。そのため、トルコ政府が、クーデターの黒幕とされる在米トルコ人、フェトフッラー・ギュレンの引き渡しを要求すると、それを拒否しています。

アメリカとは反対に、ロシアはこのクーデター未遂事件に際して、当初から「エルドアン支持」を鮮明にしていました。

フェトフッラー・ギュレン ©AP/アフロ

そのため、エルドアンは、アメリカの支持が得られなかったことを逆手に取ってＮＡＴＯとアメリカから堂々と距離を取り始め、（シリア問題に関しては）ロシアとの連携を強化していきます。そして、ロシアの支援を受けて、ＩＳとロジャヴァを排除するための軍事介入に踏み切りました。文字通り「昨日の敵は今日の友」という状態です。

この間、トルコ国内では、「クーデター未遂事件はアメリカの謀略である」、「ロシア軍機撃墜の背後にもアメリカがいた」などとする陰謀論が拡散しました。すると、トルコ政府も、こうした陰謀論を否定するのではなく、そのまま放置することで、国内の政治基盤の強化に活用します。たとえば、2020年7月15日の「民主主義と国民連帯の日（クーデター未遂事件鎮圧の記念日）」の大統領演説で、エルドアンは次のように語っています。

「（クーデターを企てたメンバーが）もし十分な力を備えていたら、この議会議事堂を迷わず跡形もなく破壊したであろうことを、あなた方に確信していただきたい。彼らがもし十分な力を備えていたら、大統領と首相をはじめ、選ばれたすべての指導者を迷わず殺していたであろうことを、確信していただきたい」

「7月15日は、この地で我々が生き、何世紀にもわたり存亡をかけて繰り広げてきた一連の戦いの最終ラウンドである。その背後では大きな計算が動いており、それが現実のものとなれば歴史的な転換期が訪れる。自らの利益のためにトルコを炎に投げ込むつもりでいる狂信者に対し、あくまでも、7月15日の夜にそうだったように、必要とあらば我が国民と一致団結して、この祖国、民主主義、独立を守り続ける」

「さあ、殉国者たちからの預り物を一丸となって守ろう。さあ、２０２３年（引用者註：建国１００年で大統領選挙の年）の目標に向かってともに歩んでいこう。トルコを明るい未来へ一緒に連れて行こう」（トルコ・ラジオ・テレビ協会〈ＴＲＴ〉オフィシャルサイトの記事より引用）

さらに、シェントプ国会議長も、クーデター未遂事件は、トルコが世界で発言力を持ち、既存の世界秩序の不正に抗議する力を持つようになったことに起因するとしたうえで、

「経済、防衛産業、エネルギーの自給自足の努力、教育、医療、対外政策、それ以外にもさらに多くの分野でトルコがどんどん力をつけたことが、7月15日のクーデター企てが起きた本来の理由である。どのクーデターの目的および主要な出発点も、トルコが一勢力として台頭すること、独自の政策を打ち出すこと、世界の利害関係者の標的ではなく主体になることを妨害することにある」（同）

と主張しています。

一方、シリア内戦において、トルコを西側の反アサド連合から切り離すことに成功したロシ

アは、アサド政権からさまざまな権益を獲得しました。

そのなかでも特に重要なのが、地中海に面したシリア第二の港湾都市、タルトゥース基地に関する合意文書の締結（２０１７年1月18日発効）です。

タルトゥース基地は、東西冷戦時代の１９７１年、ソ連とシリアの合意によって建設されたソ連およびロシアの海軍施設ですが、冷戦の終結後は、黒海艦隊を含むロシア海軍の規模縮小に伴い、主に、ロシア軍の補給・技術拠点として使われていました。

２０１７年の合意は、この基地を本格的な海軍基地に転換するためのもので、そのポイントは、以下の通りです。

・海軍基地の使用期限は49年間で、合意違反がない場合は自動的に延長することが可能。
・ロシアは整備・補給拠点を無償で設置・使用することが可能。
・基地の動産・不動産・駐留部隊には完全な免責特権が付与され、シリアの法律は適用されない。
・シリア当局は、基地の司令官の事前の同意がなければ施設に立入不可。
・ロシアは、基地内の埠頭（ふとう）を拡張し、原子力船舶を含む11隻の艦艇を配置できる。
・環境保護はロシアが担当する。

・警備のため、ロシアは基地の外に固定的でない拠点を設置することが可能（ただし、拠点の設置に際しては、事前にシリアに計画を通知する）。

この合意に基づき、ロシアはタルトゥースに、既存のS-300型地対空ミサイルに加え、P-800、Kh-35などの新型の地対艦・艦対艦ミサイルを配備し、対NATO戦力を大幅に強化しました。

ようするに、この合意によって、ロシアはNATOの喉元に当たる地中海の拠点を強化し、さらに、それを今後半世紀にわたって確保することに成功したというわけです。

さて、このようにシリアをめぐるトルコとロシアの動きを見てみると、あらためて、トルコとロシアは、〝潜在的な敵国同士〟である一方、共通の敵には協力して対抗しなければならないこともあるため、本当の意味で〝大ゲンカ〟はできないという複雑な関係だということがわかります。

ウラジミル・プーチン

ちなみに、プーチンはエルドアンのことを「厳しい人物に見えるかもしれないが柔軟な政治家であり、ロシアにとって信頼できるパートナーだ」と評しています。ロシアとトルコの微妙な関係性を、実に端的に要約した発言です。

アゼルバイジャンの軍事ドローンはどこの国でつくられた？

トルコとロシアの複雑な関係性がご理解いただけたでしょうか。

では、再びナゴルノ・カラバフ紛争に話を戻しましょう。

ここまで見てきたように、アルメニアとアゼルバイジャンの対立の背後には、トルコとロシアの〝複雑な対立関係〟があり、アルメニア・ロビーの影響力からアメリカやフランスなどもそこに絡んでくる（割愛していますが、イランやサウジアラビアなどその他の国々の思惑も絡んでくる）……というだけでも正直かなり〝お腹いっぱい〟なのですが、今回のナゴルノ・カラバフ紛争でさらに話をややこしくしていたのがイスラエルの存在です。

アゼルバイジャンはイスラエルの〝宿敵〟イランの北隣に位置する関係から、イスラエルにとっては対イラン戦略上無視できない国になっています。そのため、イスラエルは〝イラン封じ込め作戦〟の一環として、これまでアゼルバイジャンに大量の武器を援助してきました。

ちなみに、2017年の1年間でアゼルバイジャンはイスラエルから1億3700万ドルもの武器を買っています。イスラエルにとってアゼルバイジャンは〝お得意様〟なのです。

２０２０年の時点で、アゼルバイジャン軍の新しい兵器の６割はイスラエルが提供したと言われています。今回のナゴルノ・カラバフ紛争で話題になったアゼルバイジャンの軍事ドローンは、実はほとんどがイスラエル製です。

イスラエルは、あくまでもイランを封じ込めるためにアゼルバイジャンに武器を輸出したのですが、結果としてその武器の矛先はアルメニアに向けられてしまいました。イスラエルの思惑がどうであろうと、実際にその兵器で攻撃されるアルメニアからするとたまったものではありません。ついにはアルメニアがイスラエルに対して「干渉はやめろ」と抗議する事態にまで発展しました。

アメリカがアルメニアを支持しているのに、アメリカの同盟国であるイスラエルはアルメニアを危険にさらす兵器を売るという、ねじれた構図があるわけです。

実はアメリカ大統領選挙と連動していた停戦合意の〝絶妙な〟タイミング

繰り返しになりますが、ナゴルノ・カラバフ紛争はアルメニアとアゼルバイジャンによる２

カ国間の単純な対立ではありません。リビア・東地中海・シリア・コーカサスに広がる紛争ベルト地帯の重要なピースであり、ロシアとトルコの対立を軸に、さらにその他の国々の思惑が複雑に絡み合っています。

その前提に立てば、2020年11月10日というタイミングで、ロシアの仲介により、紛争の停戦合意が成立したことは、非常に興味深いものといえます。

アメリカ大統領選挙の投票が行われたのは、その1週間前の11月3日のことです。開票結果をめぐり、トランプ大統領本人が、「今回の選挙には大規模な不正があり、バイデンの当選は無効だ」と主張し、アメリカ政治が大混乱に陥ったことは、皆さんもご存じの通りです。

この混乱で、アメリカはナゴルノ・カラバフ紛争に積極的に関与する余裕を失います。

では、それを踏まえて、ロシア側はどう動いたのでしょうか。

プーチン本人はこの時点ではアメリカ大統領選挙の問題にノーコメントの姿勢を保っていました。一方で、ロシア国内のメディア（先ほども述べましたが、基本的にプーチン政権のコントロール下にあります）は、アメリカ国内で噂されていた不正選挙の〝陰謀論〟に理解を示す論調の報道を盛んに行っていました。

確かにロシアからすると、中国を最大の脅威とみなすトランプから、ロシアを最大の脅威とみなすバイデンへの政権交代は、望ましいシナリオではありません。なので、アメリカ大統領選に対するロシアの姿勢をトランプへの〝援護射撃〟とみる人たちもいます。

しかし、プーチンはリアリストです。むしろアメリカ国内の混乱を煽ることで、アメリカの目をナゴルノ・カラバフから背けさせた――バイデン新政権が固まる前にナゴルノ・カラバフ紛争の解決を〝自国の利益拡大の手段〟として最大限に活用した、と見ることができます。

ナゴルノ・カラバフ紛争の停戦合意の内容は、245ページでまとめた通りですが、今回、ロシアはアルメニア・アゼルバイジャン両国の停戦を仲介したことで、コーカサスへの影響力を確保することに成功します。

また、それだけでなく、「平和維持軍派遣」という名目で、新たにアゼルバイジャン領内にもロシア軍の駐屯地を置くことに成功したのは、大きな得点になったといえます。

いわば、ロシアにとっては、最小限の労力で多くの利益を得たわけです。

この点ではプーチンも内心、笑いが止まらなかったことでしょう。

アリエフはあえてナゴルノ・カラバフを制圧しなかった⁉

見方によっては、今回の紛争でアゼルバイジャンは、ナゴルノ・カラバフを完全に制圧することも可能でした。それをしなかったアリエフ大統領は、一見、弱腰のようにもみえます。しかし、実は、アリエフは「あえてナゴルノ・カラバフを制圧せず、弱体化させたかたちで残しておいた」と見るほうが妥当なように思われます。

前にも少し触れましたが、他の中央アジア諸国同様、アゼルバイジャンも独裁政権の国です。国民の権利や自由は大きく制約されており、政府やアリエフに対する批判はご法度とされています。そうした状況のなかで、父子二代にわたるアリエフ政権は、バクー油田などからの潤沢なオイルマネーをばら撒くことで、国民の不満を抑え込んできたという面があります。

しかし、その手法が常に有効とは限りません。

では、カネのばら撒きが通じない場合、どのような手段で政権に対する国民の不満を逸らすのでしょうか。

これまで世界各国で枚挙にいとまがないほど利用されてきたのが〝領土問題〟です。

実際、世界各国には、〝領土問題〟をめぐって激しく対立しているように見えながら、問題をあえて解決しないことで、〝国内向けの政治カード〟として活用している国は珍しくありません。

その代表的な例が、「カシミール問題」です。

カシミール問題とはご存じの通り、インドとパキスタンの国境付近に広がるカシミール地方をめぐり、両国がそれぞれ領有権を主張している地域紛争ですね。ともにイギリスの植民地だったインドとパキスタンが第二次世界大戦後に独立した際、カシミール地方の帰属をめぐって衝突したことが紛争の始まりでした。

軍事力を含む総合的な国力という点からいえば、過去の「印パ戦争」でいずれもインドが圧勝しています。そのことからもわかるように、実はパキスタンはインドの敵ではありません。インドが国際的な孤立も厭わず、〝その気〟になりさえすれば、カシミールはおろか、パキスタンという国家そのものを消滅させてしまうことさえ不可能ではないでしょう。

しかし、インドはあえて、カシミール問題を解決しようとはしないのです。

その理由としては、まず、カシミール問題をインド国民の団結の象徴として、〝政権への不満のガス抜き〟に活用できることがあげられます。いわば、韓国が竹島問題を国内政治の手段として利用しているのと同じ構図です。

もうひとつの理由は、〝核武装〟の理由付けです。

パキスタンは、インドが強大な軍事力で自国を併呑（へいどん）してしまうかもしれないという恐怖のなかで生きています。それゆえ、核武装までしたわけです。

一方、インドはそれを逆手に取り、「〝カシミール紛争で対立するパキスタン〟が核武装している以上、自分たちも核武装しなくてはならない」と主張することが可能になります。

もちろん、インドの核ミサイルの照準はパキスタンではなく、幾度となく国境紛争を繰り返している北の強国、中国に向いているわけですが、「カシミール紛争で対立するパキスタン」はその格好の隠れ蓑(みの)になっているのです。

このように、国内事情で何かと都合よく利用できるからこそ、インドはカシミール問題をあえて解決しないわけです。

同じことがアゼルバイジャンのアリエフ政権にも言えます。

アリエフ政権は今回のナゴルノ・カラバフ紛争を通じて、「アゼルバジャンの現在の軍事力・国力をもってすれば、アルツァフ共和国を称するナゴルノ・カラバフのアルメニア人をいつでも殲滅できるが、国際社会の要望に沿って、あえて和平協定を結んで矛(ほこ)を収めた」という印象を国民に与えました。

したがって、ナゴルノ・カラバフは、従来通り、アルメニアへの敵愾心(てきがいしん)を煽る装置として残ります。ただし、そこにはかつてのような屈辱感はありません。国際的な孤立を恐れなければ、いつでも奪還可能だという国民のコンセンサスが形成されたからです。

その結果、独裁政権としては、誇らしい勝利のイメージと共に、政治的な不満が高まったときのガス抜きの安全弁としてナゴルノ・カラバフを活用することが可能になったのです。

〝100年前の先例〟を意識したトルコの軍事パレード

一方、アゼルバイジャンの勝利に大きく貢献したトルコは、当然のことながら、今後は従来よりも有利な条件でアゼルバイジャンから石油と天然ガスを調達することになるでしょうから、紛争ベルトに関わっている重要な動機のひとつを満たしたことになります。

それだけでなく、〝トルコ系国家ないしはムスリム国家のアゼルバイジャン〟が〝キリスト教国家のアルメニア〟を打ち負かし、異教徒に奪われた土地を奪還するうえで、トルコが重要な役割を果たしたということは、新オスマン主義を掲げ、イスラム回帰を志向するエルドアン政権の正統性を強固なものとし、エルドアンの立場を強化することになりました。

さて、停戦合意に基づき、アルメニア軍は2020年12月1日までにナゴルノ・カラバフ周辺で実効支配していた3県（ガザフ、キャルバジャル、ラチン）からの撤退を完了します。それを受けて、同月10日、アゼルバイジャンの首都バクーでは、エルドアンを迎えて、アゼルバイジャン軍とトルコ軍の合同戦勝パレードが行われました。

実はバクーで〝トルコ軍〟が軍事パレードを行うのは、今回が初めてのことではありません。今から約100年前の1918年にも行われた先例があります。

1917年にロシア革命が勃発し、アゼルバイジャンに対するロシア帝国の支配が崩れると、バクーでも暫定地方政権が樹立されました。当初、その主導権は、ロシア左派のメンシェヴィキやエス・エル党などが掌握していましたが、次第にレーニン率いるボリシェヴィキ（ソ連共産党の前身）が勢力を拡大して1918年4月にはソヴィエト権力の樹立を宣言。ボリシェヴィキを中心とする〝バクー・コミューン（バクー県人民委員会議）〟が成立します。その過程で、同年3月、バクーでは、ボルシェヴィキとアルメニア人が、約1万2000名のアゼルバイジャン人ムスリムを虐殺しました。

一方、1918年4月、バクー以外のアゼルバイジャンとアルメニア、グルジアのメンシェヴィキと民族主義勢力が「ザカフカス連邦共和国」の樹立を宣言しましたが、内部対立からすぐにグルジアが離脱したため、連邦は崩壊。このため、5月27日、アゼルバイジャンでは、反ボリシェヴィキの民族主義政党であるミュサヴァト（ムサヴァト、ムサワトとも）党がギャンジャで「アゼルバイジャン民主共和国」の樹立を宣言し、バクー県以外の地域を支配しました。同胞の大量虐殺事件もあって、バクーの奪還を目指すミュサヴァト政権は、トルコ民族主義の立場からオスマン帝国と連携して、7月31日、バクーを攻撃したものの、8月2日、赤軍（当時のソ連軍）ならびに英国の支援を受けたバクー・コミューンに敗退。そのため、8月5日にも再び攻撃を仕掛けましたが、またもや撃退されています。

しかし、二度目の攻撃後、赤軍がバクーを撤退しただけでなく、英国の支援を受けたコサック軍も北方に退避。このため、英国は3個大隊の増援部隊を送りましたが、９月14日、オスマン帝国は2個師団を派遣してバクーを攻撃します。

これにより、英軍は撤退を余儀なくされましたが、混乱のなかで、現地に残されたアゼルバイジャン人、コサック、アルメニア難民の間で騒乱が発生。翌朝までに、３月の虐殺事件の報復として、８９８８名ものアルメニア人が虐殺されたと言われています。

そして、翌15日、バクーは完全に制圧され、オスマン帝国ならびにアゼルバイジャンの両国軍がバクーに入城し、軍事パレードを行いました。ちなみに、バクー入城時にオスマン帝国の将兵たちは、虐殺されたアルメニア人の遺体が至る所に散乱している状況を目にしてその惨状に慄然としたものの、アルメニア人に対する〝天罰〟として、当然の報いと考えていたそうです。もっとも、バクー入場からわずか1カ月半後の１９１８年10月30日、オスマン帝国が協商諸国に降伏し、ムドロス休戦協定に調印すると、バクーには、ふたたび英軍が駐留することになりますが……。

とにもかくにも、２０２０年のバクーのパレードは、明らかにこの１９１８年の先例を意識して行われたものでした。

今回の紛争でのアゼルバイジャンの戦死者が２７８３人だったことを踏まえ、２７８３人のトルコ兵が参加したほか、戦闘で使われたトルコの無人攻撃機や、アルメニアから押収した戦車も登場しました。

式典では、アゼルバイジャンのアリエフ大統領が「我々とトルコの連帯を世界に示す」と演説。一方、エルドアン大統領は「トルコとアゼルバイジャンの関係は〝二つの国家、一つの民族〟だ」と、両国の紐帯を強調するとともに、「政治や軍事面で展開される闘争は、今後も多くの方面で続いていく」として、あらためてアルメニアに警告を発しました。

エルドアンが、この政治イベントを通じて、新オスマン主義の大義を内外に誇示しようとしていたことは、あらためて指摘するまでもないでしょう。

「戦勝国」トルコはなぜ急速に〝軟化〟していったのか？

ナゴルノ・カラバフでの勝利は、新オスマン主義の大義という政治イデオロギーの観点からだけでなく、アゼルバイジャンの石油・天然ガスを確保するという経済的な観点からも、エルドアン政権にとって大きな実績となりました。

従来のエルドアンの対外強硬路線には、国内の求心力を高めるためのブラフという側面もありましたが、国内の政権基盤が盤石のものとなった結果、エルドアンはブラフを止めて現実路線へと転換する余裕が生まれたようで、急速に、各方面との関係修復に動き出します。そうした国内事情の変化とあわせて、ＮＡＴＯとの連携強化を掲げるバイデン政権の発足に対応して、少しでも〝敵対勢力〟を減らしておく必要があります。

このように、ナゴルノ・カラバフでの勝利と大統領選挙でのバイデンの勝利がほぼ同時に起きたことは、エルドアン政権にとって、路線転換を行う千載一遇のチャンスとなったわけです。

エルドアンの〝軟化〟の予兆は、まず、経済政策の面で現れました。

近年、国際市場でトルコリラは下落傾向が続いており、金融関係者の間では、トルコ中央銀行（中銀）は利上げによる金融引き締めが必要と見られていました。しかし、エルドアンは金利を「邪悪の根源」、「悪魔」などと呼び、利上げを拒否してきたばかりか、「金利を引き下げれば借り入れコストが下がり、物価も下がる」として、むしろ利下げの必要性を強調してきました。新オスマン主義を掲げるエルドアンとしては、イスラムではネガティヴにとらえられている〝金利〟に否定的な立場を表明することで、宗教保守派を中心に国内の支持を固めようとしていたものと思われます。

その結果、通貨の下落には歯止めがかからず、２０２０年のトルコの物価上昇率は年率で10％を超えて推移。一方、主要政策金利は一時８％台にまで低下したため、実質的に大幅なマイナス金利となり、富裕層がリラを売り、外貨で蓄財する傾向が進み、さらに通貨が下落していくという悪循環に陥り、２０２０年11月には、トルコリラ相場は、対米ドルで年始から30％

下落し、1ドル=8・5リラ台に突入しました。

ところが、ナゴルノ・カラバフでの勝利後の11月半ば、エルドアンは〝突如〟方針を転換し、中銀総裁と財務相を相次いで更迭(こうてつ)します。11月19日、中銀は金融政策会合で金利の大幅引き上げに動き、エルドアンも「必要ならば、苦い薬を飲まなければならない」と述べ、これを受け入れる姿勢に転じています。

これを受けて、12月時点での政策金利は17%まで引き上げられ、金利が物価上昇率を上回る水準に到達したことから、トルコリラの下落にも歯止めがかかり、2021年の年明けには1ドル=7・3リラ前後へと急速に回復しました(ただし、1月22日には、エルドアンは「高金利には絶対に反対」とも述べており、宗教保守派への〝配慮〟も怠っていませんが)。

外交面では、2020年8月にアラブ首長国連邦とイスラエルの国交正常化が行われた際、トルコは「UAEの〝偽善的振る舞い〟を歴史は忘れることなく、決して許さないだろう」とこれを激しく非難していましたが、バクーでの戦勝パレードを経た12月25日には、エルドアンは「(イスラエルとの関係について)情報機関での接触は続いている。イスラエルの対パレスチナ政策は受け入れられないが、改善を望む」と発言して、柔軟路線に転じています。

また、リビアと東地中海、さらには対アルメニア問題で対立していたフランスに関しても、2021年1月1日、チャブシオール外相がフランスとの関係を改善する用意があると表明し、記者団に対して、既にルドリアン仏外相と「非常に建設的な電話会談」を行ったことを明かしました。

今回のナゴルノ・カラバフ紛争の意外な〝副産物〟とは？

このようにエルドアン政権が〝軟化〟してきたことで、退陣直前のトランプ政権は最後の一手を打ちました。

それが、２０２１年１月10日、アメリカの仲介によって行われたカタールとサウジをはじめとするアラブ諸国との関係正常化です。

もともと、カタールは宿敵バハレーンを抑え込むため、サウジを弱体化させることを外交上の最優先課題としてきました。一方、バハレーンにとっての最大の脅威は、「バハレーンは自国領」と主張しているイランですから、「敵の敵は味方」のロジックに従えば、カタールはイランとも良好な関係を築きやすい立場にあります。

２０１７年に発足したトランプ政権は、「イランの脅威に直面してサウジアラビアと湾岸地域の長期の安全保障を支援する一方、サウジの対テロ作戦への関与を支援し、アメリカの負担を軽減する」として、イランとの核合意を結んだオバマ前政権の方針を転換。就任後初の外遊先にサウジを選び、2017年5月20日にリヤドを訪問。翌21日には、同地でアラブ・イスラム諸国との会議「米アラブ・イスラムサミット」を開催し、55カ国の首脳らとともにテロ対策を中心に議論し、協力関係の強化を確認しました。

ところが、トランプの帰国後、「カタールのタミーム首長が、『アメリカ大統領とサウジ国王はイランを〝世界の主要テロ支援国〟と名指しし、反イランの機運を醸成している』と非難し、あわせて、(ガザ地区を実行支配下に置き、イスラエルへのテロを繰り返す)ハマースを支持する発言も行った」という主旨の報道が流れます。

報道内容について、カタール政府は事実関係を否定し、ハッキング被害によるフェイクニュースだと主張しましたが、サウジや他の湾岸諸国は、これを奇貨(きか)としてアラビア語衛星放送のアルジャジーラ(〝アラブのCNN〟を自任し、サウジやエジプトなど、アラブ主要国の政府や要人に対する批判的な報道も積極的に行ってきたため、そうした国々の政権からは蛇蝎(だかつ)のごとく嫌われています)などカタールのメディアを遮断します。

そのうえで、6月5日朝、まず、長年の宿敵であるバハレーンがカタールとの国交断絶を宣言し、これに、サウジ、エジプト、UAEが続き、さらにイエメン、モルディヴ、リビア臨時政府が加わるというかたちで、カタール包囲網が形成されました。

当時のサウジ外務省は、カタール政府が、

①国内にテロ組織を住まわせテロを支援している。
②報道機関でテロ組織の宣伝を行っている。
③カティーフ県にいるイランと関わりがあるテロ行為を支援している。
④過激派組織に居住許可を与えている。
⑤（イエメンの内戦でイランの支援を受けている）フーシ派を支援している。

これらのことから、〝国の治安のため〟カタールとの断交に踏み切ったと説明しています。断交措置を受けて、サウジ、UAE、エジプト、バハレーンは、カタール籍の航空機や船舶が自国の領空や領海を通過することを禁止し、在留カタール人に2週間以内の国外退去を命じ、自国民のカタール訪問も禁止。食料品のカタールへの禁輸措置を発動しました。

一連の断行措置を主導したサウジは、これによりカタールを経済的に締め上げ、屈服させられると考えていたようです。

ところが、窮地に陥ったカタールに対しては、サウジの宿敵であるイランと、新オスマン主義のトルコがすぐさま食料品や日用品の緊急支援を行います。さらに、エルドアンは、ドーハのトルコ軍基地（２０１６年運用開始）に追加部隊を派遣し、軍事演習を行ってサウジを牽制するなど、「万一不測の事態が発生しても、〝イスラム世界の盟主〟として、カタールはトルコが守る」という意思を鮮明に示します。

また、カタールはイランに対して年間1億ドルの航路使用料をイランに支払い、サウジやUAEの領空を迂回するルートを確保しました。ちなみに、1億ドルは金満国家のカタールにとっては大した金額ではありませんが、経済制裁を受けているイランにとっては干天の慈雨ともいうべき貴重な外貨収入です。

さらに、カタールはサウジとの断交後、サウジを牽制するため、あえて中国人民解放軍の訓練教官を招聘。2017年の建国記念日の軍事パレードでは、中国製弾道ミサイルのBP-12Aを披露し、アメリカを慌てさせています。

このように、サウジの安直なカタール〝制裁〟は、結果的に、トランプ政権によるイラン包囲網に穴をあけ、中東政策の障害になっていたわけです。

こうした状況のもとで、2021年にバイデン政権が発足すれば、トランプ政権が進めてきたイラン封じ込め政策を大幅に修正し、いわゆる核合意の復活も含め、アメリカの対イラン政策が宥和路線に大きく傾く可能性が懸念されます。

そこで、トランプ政権としてはバイデン政権の発足後も、イラン包囲網を機能させ続けるためには、カタールをイラン（と中国）から引きはがし、サウジやUAE、バハレーン、エジプトの各国との関係を断交以前の状態に戻しておかねばなりません。

そのためには、カタールに軍事基地を置いているトルコが反対しないことが絶対条件ですが、ナゴルノ・カラバフでの勝利後、エルドアン政権が急速に対外宥和路線に転じたことで、この点の障害もクリアされたわけです。さらに、トルコとアメリカの関係が改善されれば、カタールのトルコ軍基地はイラン包囲網の最前線として機能することさえ期待できます。

なお、カタールとしても、新型コロナウイルスの状況次第ですが、とりあえずは2022年に予定されているFIFAワールドカップを控え、周辺諸国との（形式的にせよ）関係改善は歓迎すべきことでした。

もちろん、サウジの理不尽な圧力に屈することなく、これをしのぎ切ったということは、カタール王制にとっても大きな得点となったことはいうまでもありません。

結局のところ、この問題でも〝癌〟はサウジだったわけです。

エルドアンはアタテュルクを超えたか？

2021年1月20日、ついにアメリカでバイデン新政権が発足しました。

その後も、トルコは対外宥和路線の演出に怠りなく、1月24日にはリビアでトルコ軍が大規模な地雷除去作業を行ったほか、翌25日には、ギリシャとの間で4年半行われていなかったエーゲ海関連の問題についての予備的協議を開始。同日の記者会見で大統領報道官は、協議開始について「地域の平和と安定は皆の利益になる」と説明しました。

さらに、２０２１年２月中旬または下旬にはキプロス島問題の解決に向けた交渉も開始予定と発表されるなど、半年前では考えられなかったほど、トルコの対外姿勢は軟化しました。

その一方で、２０２１年１月以降、イスタンブールのボアジチ大学で、エルドアンが強引に学長を指名したことに対して、学生たちが抗議活動を開始し、エルドアンの強硬姿勢に反発する市民の一部がこれを応援する姿勢を示すと、政権側は抗議活動の参加者をテロリストと呼び、２月には一時６００人を拘束しました。

また、２月10日には、トルコ軍がイラク北部でクルド労働者党（ＰＫＫ）が過去にトルコ国内外で拉致した13人の救出などを目的とした軍事作戦に着手。これに対して、ＰＫＫがイラク北部の洞窟内で13人を処刑すると、トルコ軍はＰＫＫ側の40人超を殺害しています。

この件に関して、アメリカ国務省が、ＰＫＫによる殺害が「確認されれば」と留保付きで事件を非難したことに対して、２月15日、エルドアンは「冗談だろう」、「両国同盟関係を維持するためには、アメリカはテロ組織（＝ＰＫＫ）への支援をやめなければいけない」などと一蹴。

このため、アメリカのブリンケン国務長官は、トルコのチャブシオール外相との電話会談で「テロ組織であるＰＫＫが責任を負うというわれわれの見解を確認した」と弁解せざるを得なくなっています。

２０２０年末の戦勝パレード以降、対外的に軟化しているように見えるエルドアン政権ですが、このように、けっして強面の部分をなくしたわけでなく、状況に応じて硬軟を使い分けていることがわかります。

実際、「衣の下の鎧」をちらりと見せるかのように、1月25日、エルドアンは与党ＡＫＰのデニズリ県支部、メルシン県支部、ウシャク県支部の第7回通常会議に際して、オンラインの演説で以下のように語っています。

トルコ共和国の歴史においてつくられたすべてのことをはるかに超えるものをたったの18年間で獲得させたことを誇りに思っている。

テロ組織との戦いに始まり、国境の安全確保、そして、虐げられたすべての人への援助に至る誇り高く決意ある政策により、我が国の名声を高めてきた。国民一人ひとりの生活の質を高めた。我々の成功の後ろにはこの輝かしい実績がある。

これまでにやってきたことは国民と共にやってきた。

何かに成功したなら、国民と共に成功した。トルコに「目標２０２３」（建国１００周年となる２０２３年に達成することを目指す目標）を達成させ、トルコを「ビジョン２０５３」のもとにひとつにすることも、やはり、国民と共に実現させる。テーマが「人」

である政治が行われる場は、８３００万人の国民の心である。まず、国民の心をつかむ。それから票を求める。

（トルコ・ラジオ・テレビ協会〈ＴＲＴ〉オフィシャルサイトの記事より一部引用）

現在なおトルコ社会ではアタテュルク（「建国の父」ムスタファ・ケマル）が絶大な権威を保持しているので、エルドアンは、「自らが政権を担当した18年間こそが、１９２３年のトルコ共和国建国以来、最も充実した期間だった」と主張することで、「自分は既にアタテュルクに並んだ」と宣言しているわけです。

そして、建国１００年にあたる２０２３年の大統領選挙で当選することで、最終的にはアタテュルクを超えるという野望も、ここから透けて見えています。

はたして、エルドアンの目論見通りに事が進むかどうか。ここから先は、まさに神のみぞ知るといったところですが、今回のナゴルノ・カラバフ紛争での勝利がエルドアンとトルコ共和国にとって大きな転換点になったということは記憶にとどめておいてよいでしょう。

実は〝世界史的な大事件〟だったナゴルノ・カラバフ紛争

このように、２０２０年のナゴルノ・カラバフ紛争は、単なるコーカサスの地域紛争という域にとどまらず、トルコとロシアを軸にした、世界全体の動きと大きく関わっている大事件だったわけです。

あらためて強調しておかねばなりませんが、ロシアが仲介した和平合意では、アゼルバイジャンがアルメニアによって武力で占領されていた土地を〝武力によって再び奪還〟することが認められている点が重要です。

なぜなら、第二次世界大戦後の国際秩序というのは、基本的には、〝武力による領土奪還を否定〟するところから出発しています。今回のアゼルバジャンとアルメニアの停戦合意は、結果として、そうした前提を反故にするものだからです。しかも、それを仲介したのがロシアだという点も見逃してはなりません。

おそらく、アメリカ国内で大統領選挙をめぐる混乱がなく、アメリカがナゴルノ・カラバフ紛争に目を向ける余裕があれば、あるいは、中国よりもロシアの封じ込めを優先すると主張しているバイデン政権が成立したあとであれば、ロシアの仲介でこのような停戦合意が結ばれ、戦後の国際秩序の前提を覆す〝パンドラの箱〟が明けられてしまうことを、アメリカは絶対に看過しなかったはずです。

逆に、そうであればこそ、ロシアを中心に、アゼルバイジャンとトルコは、アメリカの混乱に乗じて（とにかく、トランプからバイデンへの政権移行の間隙（かんげき）を縫って）事を進めなければならなかったともいえるでしょう。

いずれにせよ、2020年のナゴルノ・カラバフ紛争は、ドローンを用いた画期的戦術が本格的に採用された最初の戦争であり、第二次世界大戦後の国際秩序に対する根源的な挑戦を含んでいるという点もあわせて、将来的に〝世界史上の重要な事件〟として位置づけられるのではないかと思います。

少なくとも、この紛争を、我々日本人にはなじみの薄い、コーカサスという遠隔の地の出来事だと甘く見て、無関心のまま過ごしていていいはずはないのです。

参考文献

＊紙幅の都合上、特に重要な引用、参照を行った日本語の単行本に限って挙げています。

飯山雅史『アメリカの宗教右派』中公新書ラクレ　２００８年
今井宏平『トルコ現代史　オスマン帝国崩壊からエルドアンの時代まで』中公新書　２０１７年
江崎道朗『マスコミが報じないトランプ台頭の秘密』青林堂　２０１６年
小川寛大『南北戦争　アメリカを二つに裂いた内戦』中央公論新社　２０２０年
貴堂嘉之『南北戦争の時代　19世紀』岩波新書）２０１９年
国枝昌樹『シリア　アサド政権の40年史』平凡社新書　２０１２年
倉山満『大間違いのアメリカ合衆国』KKベストセラーズ　２０１６年
佐藤唯行『アメリカユダヤ人の政治力』ＰＨＰ新書　２０００年
鈴木崇臣『福音派とは何か？　トランプ大統領と福音派』春秋社　２０１９年
エドワード・スノーデン（山形浩生訳）『スノーデン　独白　消せない記録』河出書房新社　２０１９年
高沢皓司『宿命「よど号」亡命者たちの秘密工作』新潮社　１９９８年
立山良司『ユダヤとアメリカ　揺れ動くイスラエル・ロビー』中公新書　２０１６年
周保松・倉田徹・石井知章『香港雨傘運動と市民的不服従「一国二制度」のゆくえ』社会評論社　２０２０年
内藤正典『限界の現代史 イスラームが破壊する欺瞞の世界秩序』集英社新書　２０１８年
内藤陽介『中東の誕生』竹内書店新社　２００２年
『香港歴史漫郵記』大修館書店　２００７年
『大統領になりそこなった男たち』中公新書ラクレ　２００８年
『朝鮮戦争　ポスタルメディアから読み解く現代コリア史の原点』えにし書房　２０１４年

西田慎『パレスチナ現代史　岩のドームの郵便学』　えにし書房　2017年
野口英明『ドイツエコロジー政党の誕生「六八年運動」から緑の党へ』　昭和堂　2010年
野嶋剛『世界金融本当の正体』　サイゾー　2015年
『香港とは何か』　ちくま新書　2020年
M・シュクリュ・ハーニオール（新井政美・柿﨑正樹訳）『文明史から見たトルコ革命　アタテュルクの知的形成』　2020年
廣瀬陽子『コーカサス国際関係の十字路』集英社新書　2008年
『未承認国家と覇権なき世界』　NHKブックス　2014年
『アゼルバイジャン　文明が交錯する「火の国」』　群像社（ユーラシア文庫）　2016年
『ロシアと中国　反米の戦略』ちくま新書　2018年
福島香織『ウイグル人に何が起きているのか 民族迫害の起源と現在』PHP新書　2019年
『習近平の敗北――紅い帝国・中国の危機』ワニブックス　2019年
松長昭『いま日本人が見なければならないナゴルノ・カラバフ紛争』（DVD-ROM）　中東・イスラム世界社会統合研究会　2021年
安武塔馬『シリア内戦』　あっぷる出版社　2018年
李怡（坂井臣之助訳）『香港はなぜ戦っているのか』　草思社　2020年
渡瀬裕哉『なぜ、成熟した民主主義は分断を生み出すのか　アメリカから世界に拡散する格差と分断の構図』すばる舎　2019年
『2020年大統領選挙後の世界と日本　〝トランプ or バイデン〟アメリカの選択』　すばる舎　2020年

おわりに

本書は、２０１８年４月からインターネット放送「チャンネルくらら」で配信している「内藤陽介の世界を読む」のうち、比較的最近の動画の内容の一部を再構成し、配信後のアップデート情報も加えつつ、大幅に加筆したものです。

もともと、筆者は切手や郵便物から得られるさまざまな情報の分析を通じて、歴史や地域事情、国際関係などについて考えようという「郵便学」が本業です。したがって、基本的には世界各国がそれぞれどんな切手を発行しているのか、およそのイメージはほぼ把握しており、国や地域の名前を聞けば、その国・地域の切手の画像が頭のなかに思い浮かぶ回路はできあがっています（少なくとも、オリンピックの入場行進に登場するレベルの国・地域であれば、全く知らないということはまずありません）。

ただし、当然のことながら、切手に取り上げられている個々の題材については把握しきれていないことも多いので、切手や郵便物の解析のために必要な基礎データや背景事情をまとめるとともに、文章のトレーニングと自分の仕事のプロモーションを兼ねて、２００５年６月から、その時々の話題にあわせて、毎日１点ずつ切手や郵便物を選んで、簡単な解説記事を書く「郵便学者・内藤陽介のブログ」を続けています。

ブログの執筆作業は、毎日、インターネットのニュース記事の見出しをチェックして、興味をそそられるものがあれば、日本語と英語のニュース記事をいくつか読み、関連する切手や郵便物を探すところから始めます。ここで、適切な切手や郵便物が見つからなければ別の話題に変更します。ブログに取り上げる切手や郵便物が決まったら、参照したニュース記事のリンク先や、記事に登場する固有名詞や関連する制度・条約などを調べて、文章としてまとめる、というのが基本的な流れです。参照する資料は、日本語と英語が大半ですが、繁体字（はんたいじ）の中国語に関しては学生時代に習った漢文の知識を使って、その他の言語については、ネット上の翻訳機能なども補助として使いながら、必要に応じて参照しています。

こうした作業を15年以上続けてきたところ、結果として、世界の国々の切手を読み解く基礎的な知識・情報に関しては、（あくまでも、広く浅くではありますが）ある程度の蓄積もできてきましたので、その一端を（切手や郵便物抜きに）原稿としてまとめたり、メディア等でお話したりする機会も少しずつできてきました。「チャンネルくらら」の番組もそのひとつです。

さて、切手や郵便物というモノを起点に考える習性が骨の髄まで染みついている筆者ですので、研究ないしは観察対象としては、平和で安定した豊かな国にはあまり興味をそそられません。そうした国では政治や社会の激しい変動が起こりにくく、それゆえ、切手や郵便物への痕跡も乏しいからです。これに対して、政治的・社会的に不安定な国の場合、切手や郵便物にはそうした状況が鮮明に反映されますから、（不謹慎な表現かもしれませんが）ただ単純に面白いのです。また、特定のイデオロギーを国民に対して徹底的に浸透させようとしている国では、切手がプロパガンダの媒体として使われていますから、これまた興味をそそられます。そのため、そうした国・地域に関しては、熱心に調べてみたくなるのです。

そうした観点から、２０１０年にメディアファクトリー新書の一冊として上梓した拙著の署名は『事情のある国の切手ほど面白い』としたのですが、昨今の国際ニュースを見てみると、〝事情のある〟などという生易しい状況どころではない国が世界にはいくつもあることに気が付きます。もっとも、幸か不幸か、世界最初の切手がイギリスで発行された１８４０年以来、現在にいたるまで、世界のどこかで常に混乱や動乱、大規模な自然災害が起こり、各国間の派手な離合集散が繰り返されてきたわけで、「世界が安定している」ことのほうがむしろ不自然だともいえるでしょう。そうであればこそ、「国際ニュースの正しい読み方」と銘打った本書では、そもそもの議論の出発点として「世界はいつでも不安定」と最初に謳うことにしました。世界の混沌や不安定さを嘆くよりも、不安定であることを前提に、日本としての身の処し方を考えるほうが建設的で精神衛生上も良いのではないかと思います。

また、本書の帯にはバイデン（アメリカ大統領）、プーチン（ロシア大統領）、習近平（中国国家主席)、トランプ(アメリカ前大統領)、サルマーン(サウジ国王)に加え、我が国の菅総理の顔写真も加えています。本書の本文には登場していない菅総理をあえて帯の写真に加えたのは、我が国が否応なしに「不安定な世界」のなかで生きていかねばならないこと、そしてそのためには、国際ニュースを正しく読むことが必須の前提であることを読者の皆さんにイメージしていただきたかったからです。

世界のなかで我々が「どうすべきか」という問いに答えるためには、世界が「どうなるか」と正確に予測せねばならず、そのためには現状を正確に認識する必要があります。本書がその一助としていささかなりとも皆さんのお役に立つなら、筆者としては望外の幸せです。

さて、本書が日の目を見るようになったのは、ワニブックスの川本悟史さんの献身的なご努力のおかげです。また、その元になった「チャンネルくらら」では、主宰者の倉山満先生、聞き役の渡瀬裕哉先生、そして、動画の実務をご担当いただいている松井弥加さんに大変お世話になりました。そして、動画からの文字起こしや図表等については、吉田渉吾さんにご尽力いただきました。末筆ながら、心よりお礼申し上げます。

二〇二一年二月十二日辛丑年春節の日に　著者しるす

内藤陽介（ないとう・ようすけ）

1967年東京都生まれ。東京大学文学部卒業。郵便学者。日本文芸家協会会員。

切手等の郵便資料から国家や地域のあり方を読み解く「郵便学」を提唱し、研究著作活動を続けている。

主な著書に『なぜイスラムはアメリカを憎むのか』(ダイヤモンド社)、『中東の誕生』(竹内書店新社)、『外国切手に描かれた日本』(光文社新書)、『切手と戦争』(新潮新書)、『反米の世界史』(講談社現代新書)、『事情のある国の切手ほど面白い』(メディアファクトリー新書)、『マリ近現代史』(彩流社)、『日本人に忘れられたガダルカナル島の近現代史』(扶桑社)、『みんな大好き陰謀論』(ビジネス社)、『日韓基本条約(シリーズ韓国現代史 1953-1965)』『朝鮮戦争』『リオデジャネイロ歴史紀行』『パレスチナ現代史』『チェ・ゲバラとキューバ革命』『改訂増補版 アウシュヴィッツの手紙』(いずれも、えにし書房)などがある。

文化放送「おはよう寺ちゃん　活動中」コメンテーターのほか、インターネット放送「チャンネルくらら」のレギュラー番組「内藤陽介の世界を読む」など配信中。

聞き手 渡瀬裕哉（左）と著者

本書は、インターネット番組『内藤陽介の世界を読む』（制作：チャンネルくらら）をもとに、企画・構成いたしました。

番組は毎週水曜日、YouTubeの「チャンネルくらら」にて配信しております。ご覧いただけますと幸いです。

チャンネルくらら(主宰　倉山満)
https://www.youtube.com/channel/UCDrXxofz1ClOo9vqwHqflyg

世界はいつでも不安定
国際ニュースの正しい読み方

2021年4月10日　初版発行

著　者　内藤陽介

構　成　吉田渉吾
編集協力　松井弥加(チャンネルくらら)
校　正　大熊真一(ロスタイム)
装　丁　木村慎二郎
編　集　川本悟史(ワニブックス)

発行者　横内正昭
編集人　岩尾雅彦
発行所　株式会社 ワニブックス
〒150-8482
東京都渋谷区恵比寿4-4-9 えびす大黒ビル
電話　03-5449-2711(代表)
03-5449-2716(編集部)
ワニブックスHP　http://www.wani.co.jp/
WANI BOOKOUT　http://www.wanibookout.com/
WANI BOOKS News Crunch　https://wanibooks-newscrunch.com/

印刷所　株式会社 光邦
DTP　アクアスピリット
製本所　ナショナル製本

ISBN 978-4-8470-7036-5